ゼロから始めるドイツ語

文法中心　新正書法対応

在間 進 著

三修社

トラック対応表

Track		ページ	Track		ページ
2	アルファベット	8	22	第13課	85
3	第1課	14	23	テキストVIII	90
4	テキストI	20	24	第14課	92
5	第2課	22	25	第15課	94
6	第3課	24	26	テキストIX	98
7	第4課	29	27	第16課	100
8	第5課	32	28	第17課	103
9	テキストII	38	29	テキストX	109
10	第6課	42	30	第18課	113
11	第7課	45	31	テキストXI	117
12	テキストIII	50	32	第19課	120
13	第8課	52	33	テキストXII	124
14	第9課	58	34	第20課	126
15	テキストIV	62	35	テキストXIII	132
16	第10課	64	36	第21課	134
17	テキストV	69	37	テキストXIV	138
18	第11課	71	38	第22課	142
19	テキストVI	76	39	テキストXV	149
20	第12課	78	40	ドイツ語の数字	153
21	テキストVII	83			

まえがき

　本書は，原則的に，**文法**を説明した部分と，それを確かな知識にするための**練習問題**の部分と，その知識を応用するための**テキスト**の部分の3つからなっています。

　外国語の学習にとって重要なことは，文法の骨格をしっかり理解することです。骨格さえしっかり理解しておけば，後は，慣れるに従って，例外的な現象も，自然に理解できるようになるものです。文法書の「善し悪し」はこのような点をしっかり押さえて作られているかどうかで決まる，と言っても過言ではないでしょう。

　ドイツ語はけっして難しい言語ではありません。みなさんが焦らず，気楽に，そして繰り返し学ぶ熱意さえ持つならば，ドイツ語の学習も，みなさんにとってもきっと楽しいものになるはずです。本書を通して，一人でも多くの人がドイツ語に親しみを感じるようになることを願ってやみません。

　　2000年7月

本当です！

　　　　　　　　　　　　　　　　　　　　　　　　　在間　進

目　次

まえがき

アルファベット／8
発音と単語の読み方／9

第1課　動詞の人称変化 ——————————————— 14
§1 主語の種類　§2 動詞の人称変化　§3 不定形　§4 親称と敬称　§5 不定形が -n で終わる動詞　§6 sein, haben, werden の人称変化

第2課　名詞の性 ——————————————————— 22
§1 名詞の頭文字　§2 名詞の性　§3 名詞の性と冠詞

第3課　名詞と冠詞の格変化 ———————————— 24
§1 格の種類　§2 格の形　§3 2格の格語尾　§4 定冠詞の格変化　§5 不定冠詞の格変化　§6 格の用法

第4課　不規則な人称変化 —————————————— 29
§1 口調上の e　§2 母音が変わる不規則変化

第5課　前置詞の格支配 ——————————————— 32
§1 前置詞の格支配　§2 1つの格形と結びつく前置詞　§3 3格と4格を支配する前置詞　§4 前置詞と定冠詞の融合形　§5 動詞の前置詞支配

第6課　語　　順 ——————————————————— 42
§1 平叙文の語順　§2 疑問文の語順　§3 疑問詞

第7課　並列接続詞と従属接続詞 ——————————— 45
§1 並列接続詞　§2 従属接続詞

　　コーヒーブレイク 1　動物の「性」と鳴き方　　49

第8課　名詞の複数形 ————————————————— 52
§1 複数形　§2 4種の複数形　§3 複数の格変化　§4 男性弱変化名詞

第 9 課　**冠詞類の格変化** ──────────────────── 58
　　§1　2種類の冠詞類　§2　定冠詞類の格変化　§3　不定冠詞類の格変化

第10課　**形容詞の格変化** ──────────────────── 64
　　§1　形容詞の格変化の3種類　§2　定冠詞類の場合　§3　不定冠詞類の場合　§4　冠詞類のない場合

第11課　**分　離　動　詞** ──────────────────── 71
　　§1　分離動詞　§2　疑問文と副文における分離動詞　§3　人称変化　§4　非分離前つづり

　　コーヒーブレイク 2　「おまえ！」と「ねえ，あなた！」　　75

第12課　**話法の助動詞** ──────────────────── 78
　　§1　話法の助動詞の人称変化　§2　話法の助動詞を用いた文の語順　§3　話法の助動詞と疑問文　§4　副文中の話法の助動詞　§5　möchte[n]「…したい」　§6　未来時制

第13課　**人称代名詞と再帰代名詞** ──────────────── 85
　　§1　3格と4格の人称代名詞　§2　再帰代名詞　§3　再帰動詞　§4　相互代名詞

第14課　**命　令　形** ──────────────────── 92
　　§1　命令形　§2　du に対する命令形のバリエーション　§3　Sie に対する命令形

第15課　**過　去　形** ──────────────────── 94
　　§1　規則的な作り方　§2　不規則な作り方　§3　前つづりをもつ動詞の過去形　§4　過去人称変化

第16課　**過去分詞の作り方（三要形）** ─────────────── 100
　　§1　規則的な過去分詞　§2　不規則な過去分詞　§3　前つづりをもつ動詞の過去分詞

第17課 完了時制 ——————————————————— 103
§1 完了形の作り方　§2 完了文の作り方　§3 疑問文と副文における完了文　§4 sein によって完了形を作る動詞　§5 完了時制の人称変化　§6 用法

第18課 受動文 ——————————————————— 113
§1 受動文の作り方　§2 受動形の人称変化　§3 状態受動

第19課 zu 不定詞 ——————————————————— 120
§1 zu 不定詞の働き　§2 zu 不定詞(句)の作り方　§3 用法

第20課 比較表現 ——————————————————— 126
§1 形容詞の比較変化　§2 付加語的用法　§3 述語的用法　§4 副詞的用法

コーヒーブレイク 3　Tier と Frucht　131

第21課 関係文 ——————————————————— 134
§1 関係代名詞の格変化　§2 関係文の作り方　§3 関係代名詞の形の決め方　§4 不定関係代名詞 wer と was

第22課 接続法 ——————————————————— 142
§1 接続法　§2 接続法第1式　§3 接続法第2式　§4 用法　§5 würde による書き換え　§6 接続法の過去

☆ドイツ語の数字 ——————————————————— 153

☆不規則動詞変化一覧表 ——————————————————— 164

練習問題 1	人称変化	19
練習問題 2	格変化	28
練習問題 3	前置詞	37
練習問題 4	複数形	57
練習問題 5	冠詞類	61
練習問題 6	形容詞	68
練習問題 7	分離動詞	74
練習問題 8	話法の助動詞	82
練習問題 9	再帰代名詞	89
練習問題10	過去形	97
練習問題11	三要形	102
練習問題12	完了形	108
練習問題13	受動形	116
練習問題14	zu 不定詞	123
練習問題15	比較	130
練習問題16	関係文	137
練習問題17	接続法	148

練習問題解答／156

テキスト	I	Ich lerne Deutsch.	20
テキスト	II	Schade! Sehr schade!	38
テキスト	III	Der Löwe	50
テキスト	IV	Die Fledermaus	62
テキスト	V	Ein großer Hund und eine kleine Katze	69
テキスト	VI	Der Maulwurf	76
テキスト	VII	Ein Fuchs	83
テキスト	VIII	Ein Spiegel	90
テキスト	IX	Vergissmeinnicht	98
テキスト	X	Ich bin nur ein Mann.	109
テキスト	XI	Mutti, Vati!	117
テキスト	XII	Uhrenfamilie	124
テキスト	XIII	Die Mäuse und die Katze	132
テキスト	XIV	Der Klee	138
テキスト	XV	Silvester-Aussprache	149

アルファベット — Das Alphabet
ダス　アルファベート

ドイツ語のアルファベットは，英語と同じ 26 文字と 4 つのドイツ語独特の文字からできています。次のように読まれます。

A	a	アー	N	n	エン
B	b	ベー	O	o	オー
C	c	ツェー	P	p	ペー
D	d	デー	Q	q	クー
E	e	エー	R	r	エル
F	f	エフ	S	s	エス
G	g	ゲー	T	t	テー
H	h	ハー	U	u	ウー
I	i	イー	V	v	ファオ
J	j	ヨット	W	w	ヴェー
K	k	カー	X	x	イックス
L	l	エル	Y	y	ユップスィロン
M	m	エム	Z	z	ツェット

ドイツ語独特の 4 つの文字は A(a), O(o), U(u) に ¨ を付けたものと ß です。

Ä	ä	エー	Ü	ü	ユー
Ö	ö	エー		ß	エス・ツェット

¨ の付いたものはそれぞれアー・ウムラウト，オー・ウムラウト，ウー・ウムラウトと呼びます。Ä (ä) は口をすなおに開いて［エー］と言えばよいのですが，Ö (ö) は口を O を発音するようにまるめておいて［エー］と言うのです。また Ü (ü) は，口笛を吹くように唇をまるめて前に突き出して［イー］と言うのです。

発音と単語の読み方 ── Die Aussprache

ドイツ語の発音は，日本人にとって決して難しくはありません。大部分は日本語の発音と似ているのです。発音を示すのに本書ではカナを用いますが，それは，ドイツ人にそれなりに通じる発音がカナによっても十分に表記できるからなのです。発音が日本語に似ているというのは何よりではありませんか。

次に，ドイツ語のつづりの読み方です。これも大部分ローマ字の読み方に似ており，私たち日本人には比較的やさしいのです。実例にあたってみましょう。発音を単語の下にカナで表記しますが，アクセントのある音節は太字にしてあります。

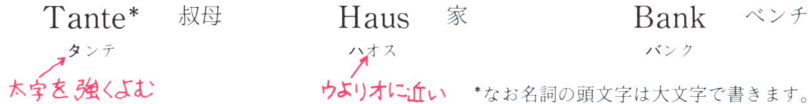

Tante*　叔母　　　Haus　家　　　Bank　ベンチ
タンテ　　　　　　　ハオス　　　　バンク

太字を強くよむ　　　ウよりオに近い　　*なお名詞の頭文字は大文字で書きます。

ローマ字式とまったく同じというわけではありませんが，まあまあ読めましたね。ドイツ語の単語は原則的にローマ字を読むように発音すればよいのです。またアクセントは原則的に第1音節にあります。
しかしカナ表記はあくまで発音を示す補助手段でしかありませんので，できる限り音声テープなどで正確な発音を学ぶようにしてください。

三番目に，母音の長短ですが，アクセントを持つ母音に関して，1個の子音の前で長く，2個以上の子音の前では短いという規則があります。しかしこれも規則を覚えるよりも，実例にあたって勘(かん)としてわかるようになるのが一番です。上例はすべて短母音の例でしたので，長母音の例を挙げてみましょう。

子音1個
gut　良い　　　rot　赤い
グート　　　　　ロート
のばす

今まで3つ程，原則的なことを述べましたが，次に，ドイツ語特有のつづりの読み方を学ぶことにしましょう。まずはじめはウムラウトの字母からです。

9

ä, ö, ü これらの発音の仕方はアルファベットのところで説明しましたので、早速、これらの字母を含む単語を挙げてみましょう。

Kälte 寒さ （子音2個／のばさない）
ケルテ

Träne 涙 （子音1個／のばす）
トレーネ

Hölle 地獄
ヘレ

Öl 油
エール

Hütte 小屋
ヒュッテ

üben 練習する
ユーベン

ei と ie ei は［エイ］でなく［アイ］、ie は［イエ］でなく［イー］と発音します。

Geige バイオリン
ガイゲ

bleiben 留まる
ブライベン

Liebe 愛 （のばす）
リーベ

Brief 手紙
ブリーフ

eu と äu ふたつとも［エウ］ではなく、［オイ］と発音します。

Freude 喜び
フロイデ

heute 今日
ホイテ

Fräulein （レストランで）おねえさん！
フロイライン

träumen 夢をみる
トロイメン

母音の後ろの h ドイツ語の字母はすべてなんらかの音を示すのですが、この h だけは前の母音を長くのばせという記号です。

Kuh 雌牛 （のばすん）
クー

Fahne 旗
ファーネ

なお、**aa, ee, oo** と母音が2つ並んでいる場合もかならず［**アー**］［**エー**］［**オー**］と長く発音されます。

Haar 髪 （のばす）
ハール

Tee お茶
テー

Boot ボート
ボート

ch　この字母は，a, o, u, au（ハ ホ フ ホ）の後ろに置かれる場合と，その他の場合とで異なって発音されます。a, o, u, au の後ろに置かれる場合，のどの奥から［ハッ］と，のどがかすれるように発音します。

Dach　屋根
ダッハ

Loch　穴
ロッホ

Buch　本
ブーフ

auch　…も
アオホ

［チ］にならないように

その他の場合には［ヒ］と発音します。

nicht　…ない（英語：*not*）
ニヒト

Milch　ミルク
ミルヒ

j と v と w　これらはそれぞれ［ヨット］，［ファオ］，［ヴェー］と呼ばれることから，推測できるように，jは英語の*y*，vは英語の*f*，wは英語の*v*に対応します。

Japan　日本
ヤーパン

Vogel　鳥
フォーゲル

Wein　ワイン
ヴァイン

母音の前の s　sは母音の前では［ザ，ズィ，ズ，ゼ，ゾ］と，有声になります（母音の前以外では無声です）。

sagen　言う
ザーゲン

singen　歌う
ズィンゲン

ß と ss　どちらも無声音の［ス］なのですが，次のように書き分けられます：前の母音が短い場合は ss，その他の場合は ß［エス・ツェット］。

短母音

küssen　キスをする
キュッセン

Fluss　川
フルス

Straße　道路
シュトラーセ

sch と tsch　sch は英語の *sh*，tsch は英語の *ch* と同じように発音します。

11

Schule 学校
シューレ

Deutsch ドイツ語
ドイチュ

語頭の sp- と st-　　語頭の sp- と st- はそれぞれ［シュプ］［シュト］と発音されます。

sprechen 話す
シュプレッヒェン

stehen 立っている
シュテーエン

語末の -b と -d と -g　〜にごらない　b, d, g が語末にあるときには無声になり、p, t, k と同じように発音されます。

Dieb どろぼう
ディープ

Kind 子供
キント

Tag 日
ターク

語末の -ig　　ig が語末にあるときには［イヒ］と発音されます。

［ク］［グ］にならないように

Honig みつ
ホーニヒ

König 王様
ケーニヒ

語末の -r と -er　　r と er は語末にあるとき、［ア/アー］と母音化されます。

Tür 戸
テューア

Vater 父
ファーター

pf　これは日本語にない難しい発音です。下唇を上の歯で軽くかむようにして、一気に［プッ］と息を破裂させて発音するのです。とても無理と思う人は p のつもりで発音してください。カタカナは一応［プフ］と表記しておきます。

Apfel りんご
アップフェル

Kopf 頭
コップフ

qu　q は単独で用いられることがありません。いつも qu の結合で用いられ、発音は［クヴ］です。

本当です！
辞書を見てみよう

Quelle 泉
クヴェレ

Qual 苦しみ
クヴァール

x と chs　　どちらも［クス］と発音されます。

Taxi　タクシー　　　sechs　6
タクスィー　　　　　　**ゼックス**

z, ts, tz, ds　これらはすべて［ツ］と発音されます。

Zeit　時間　　　Rätsel　なぞなぞ
ツァイト　　　　　**レーツェル**

Katze　猫　　　abends　晩に
カッツェ　　　　　**アーベンツ**

以上，ローマ字式とは異なっているものを説明しましたが，特に外来語にはさらに例外的な発音（読み方）があります。たとえば

Chef　主任（チーフ）　　Familie　家族
シェフ　　　　　　　　**ファミーリエ**

したがって，ドイツ語の単語を覚えるときには，母音の長短も含めて，メンドウでも一つひとつ辞書を引いて発音を確かめることが必要と言えるでしょう。しかし新しい単語に出会うたびに，毎回辞書を引いていてはドイツ語学習も苦行になりますね。そこで本書では，例文や練習問題にも発音や単語の意味を与え，少しでも「ゆとりをもって」ドイツ語が学べるように配慮してあります。もし少しでもゆとりが持てるようになりましたら，辞書を引くことも学んでください。

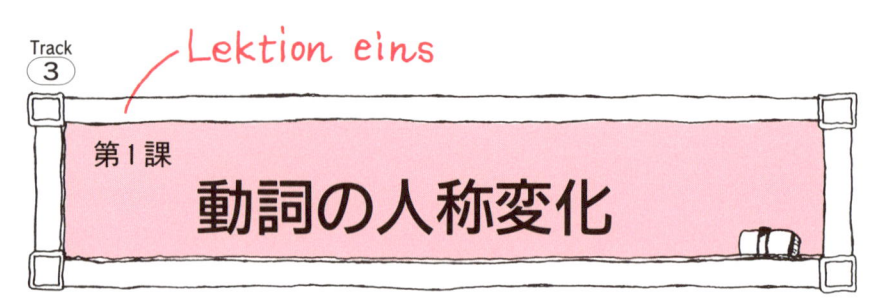

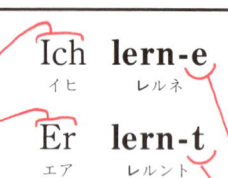

第1課 動詞の人称変化

Lektion eins

Ich イヒ	**lern-e** レルネ	Deutsch. ドイチュ	私はドイツ語を学ぶ。
Er エア	**lern-t** レルント	Deutsch.	彼はドイツ語を学ぶ。

（名詞は大文字で書き始める）
（主語）
（「私」と「彼」では動詞の形が違う）

✥ ポイント

　上例の動詞を見てください。主語が「私は」（＝ich），「彼は」（＝er）などと変わることによって，動詞の末尾が少し変わっていますね。「私は」の場合は -e，「彼は」の場合は -t となっています。この課では，主語によって動詞の形が変わることを学びます。

§1　主語の種類

　ドイツ語の主語になる人称代名詞には，3つの人称（1人称・2人称・3人称）と2つの数（単数・複数）に基づいて，次の8つの形があります。形が同じものもあるので，しっかり覚えてください。

	単　数		複　数	
1人称	**ich** イヒ	私は	**wir** ヴィーア	私たちは
2人称	**du** ドゥー	君は	**ihr** イーア	君たちは
3人称	**er** エア	彼は		
	sie スィー	彼女は	**sie** スィー	彼（彼女,それ）らは
	es エス	それは		

（形は同じだが要注意）

§2　動詞の人称変化

　次に，主語の種類によって動詞がどのような語尾を付けるのかをまとめて見ることにしましょう。次の例で，lern- の部分が語幹，-e, -st, -t, -en などの部分が語尾です。語幹は変化しません。

単　数			複　数		
ich	**lern-e** レルネ	私は学ぶ	wir	**lern-en** レルネン	私たちは学ぶ
du	**lern-st** レルンスト	君は学ぶ	ihr	**lern-t** レルント	君たちは学ぶ
er sie es	**lern-t** レルント	彼は 彼女は　学ぶ それは	sie	**lern-en** レルネン	彼[女]らは学ぶ

（手書きメモ：語幹／語尾／erで代表させて er lernt と覚える／不定形§4と同じ形）

動詞はこのように主語の人称によって語尾を変えるのですが，このことを動詞の**人称変化**，人称変化した動詞の形を**定形**（あるいは定形の動詞という意味で定動詞）と呼びます。ここで，念のため人称語尾だけをまとめて表にしてみましょう。（なお，今後，3人称単数の人称変化を示す場合，er, sie, es は常に同一の人称変化をするため，er で代表させます。）

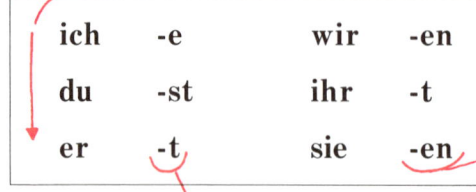

§3 不定形

動詞の形には，定形の他に，**不定形**というものがあります。これは英語の原形（*am*, *is* などに対する *be* の形）にあたるもので，動詞の語幹に -en を付けて作ります。したがって通常，1人称・3人称の複数の場合と同形になります。いくつか例を挙げてみましょう。

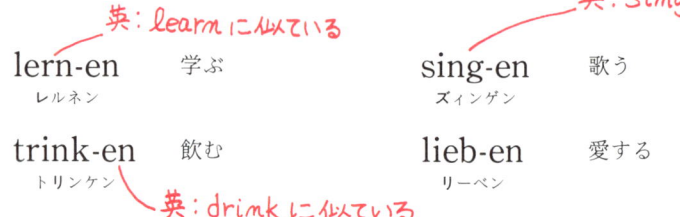

語尾がすべて -en になっているのに注意してください。この不定形がさしあたって重要なのは，辞書で動詞の意味を引く場合です。すなわち辞書の見出し語には不定形が用いられているのです。ですから，動詞の意味を辞書で調べるには，文中の定形を不定形に直してから辞書を引かなければならないのです。練習問題で定形と不定形の関係をしっかり学んでください。

§4 親称と敬称

2人称には，du/ihr の他に Sie［ズィー］という形があります。du/ihr は肉親，夫婦，友人などの親密な間柄の人に用いるもので，親称と呼ばれます。それに対して，Sie はその他の関係の人に対して用いるもので，敬称と呼ばれます。ですから，知り合いになりたてのドイツの人とドイツ語で話す時は Sie を用い，親しくなるにつれ du を用いるようになるのです。みなさんも早く，du で話のできるドイツ人が見つかるとよいですね。

敬称は，文中でも常に頭文字を大文字で書き，単数と複数が同形です。また，人称語尾は3人称複数に準じ，-en になります。

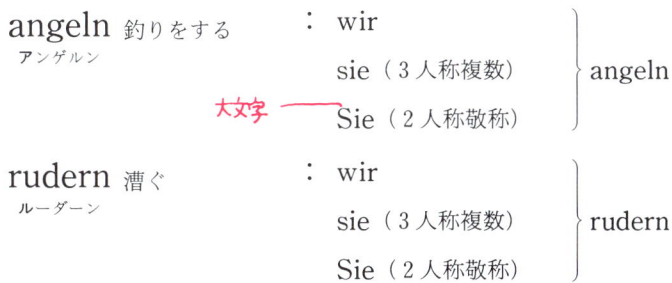

Ich lerne Deutsch, aber **Sie lernen Englisch.**
　　レルネ　　　ドイチュ　アーバー　　　レルネン　　エングリッシュ

私はドイツ語を学ぶが，あなた[方]は英語を学ぶ。

§5 不定形が -n で終わる動詞

不定形の語尾は -en だと述べながら，すぐに例外を学べと言うのは無理かも知れませんが，不定形の語尾が -n になる動詞がわずかながらあるのです。このような動詞が出て来ても驚かない心の準備のために，このことも頭に入れておいてください。これらの動詞では1人称複数・3人称複数・2人称敬称の人称語尾も -en ではなく，-n になります。

angeln 釣りをする　アンゲルン	： wir sie（3人称複数） Sie（2人称敬称）	angeln
rudern 漕ぐ　ルーダーン	： wir sie（3人称複数） Sie（2人称敬称）	rudern

§6 sein, haben, werden の人称変化

英語でも重要だからドイツ語でも重要

　これらの3つの動詞は，これからも頻繁に用いられる非常に重要なもので，理屈なしでしっかりと覚えてもらいたいものです。この3つの動詞の人称変化が口からなめらかに出て来ない以上，ドイツ語のマスターは不可能です。

しっかり覚えておかないとあとで困る

sein (英：*be*) ザイン		haben (英：*have*) ハーベン		werden (英：*become*) ヴェーアデン	
…である		持っている		…になる	
ich	**bin** ビン	ich	**habe** ハーベ	ich	**werde** ヴェーアデ
du	**bist** ビスト	du	**hast** ハスト	du	**wirst** ヴィルスト
er	**ist** イスト	er	**hat** ハット	er	**wird** ヴィルト
wir	**sind** ズィント	wir	**haben** ハーベン	wir	**werden** ヴェーアデン
ihr	**seid** ザイト	ihr	**habt** ハープト	ihr	**werdet** ヴェーアデット
sie	**sind**	sie	**haben**	sie	**werden**

練習問題 1 （人称変化）

I．次の動詞を人称変化させ，下線部に入れなさい。

不定詞	gehen 行く ゲーエン	kommen 来る コンメン	weinen 泣く ヴァイネン
ich	_____	_____	_____
du	_____	_____	_____
er	_____	_____	_____
wir	_____	_____	_____
ihr	_____	_____	_____
sie	_____	_____	_____

II．下線部に適当な人称語尾を入れ，訳しなさい。

1．Ich wohn____ in Deutschland.
　　　　　　　　　　イン　ドイチュラント
2．Wir lach____ laut.
　　　　　　　　ラオト
3．Du lüg____ immer.
　　　　　　　インマー
4．Ihr sing____ schön.
　　　　　　　　シェーン
5．Sie（2人称・敬称）lüg____ immer.
6．Er koch____ gern.
　　　　　　　　ゲルン
7．Sie（3人称・複数）trink____ viel.
　　　　　　　　　　　　　　フィール
8．Sie（3人称・単数）schwimm____ gut.
　　　　　　　　　　　　　　　　　グート

🗨単語メモ

wohnen 住んでいる　　lachen 笑う　　lügen ウソを言う　　singen 歌う　　kochen 料理をする
trinken 飲む　　schwimmen 泳ぐ　　Deutschland ドイツ　　laut 大声で
immer いつも　　schön 美しく　　gern 喜んで　　viel たくさん　　gut 上手に

テキスト I — Ich lerne Deutsch.

Ich lerne Deutsch.
イヒ　レルネ　ドイチュ
私は　学ぶ　ドイツ語を

Du lernst auch[1] Deutsch.
ドゥー　レルンスト　アオホ
君は　学ぶ　も　ドイツ語を

Wir lernen Deutsch.
ヴィーア　レルネン
私たちは　学ぶ　ドイツ語を

Wir sind[2] fleißig.
　　　ズィント　フライスィヒ
私たちは　です　勤勉

Peter trinkt gern[3].
ペーター　トリンクト　ゲルン
ペーターは　飲む　喜んで

Renate trinkt auch.
レナーテ　トリンクト
レナーテは　飲む　も

Sie trinken immer zusammen.
ズィー　トリンケン　インマー　ツザンメン
彼らは　飲む　いつも　いっしょに

Sie sind faul.
　　　　　ファオル
彼らは　です　怠けもの

Ich spiele Tennis.
　　シュピーレ　テニス
私は　　する　　テニスを

Du spielst auch Tennis.
　シュピールスト
君は　　する　　　も　　テニスを

Wir spielen immer zusammen Tennis.
　　シュピーレン
私たちは　する　　いつも　　いっしょに　　テニスを

Wir sind glücklich.
　　　　　グリュックリヒ
私たちは　です　　幸せ

私はドイツ語を学びます。
君もドイツ語を学びます。
私たちはドイツ語を学びます。
　私たちは勤勉です。

ペーターはお酒を飲むのが好きです。
レナーテもお酒を飲むのが好きです。
彼らはいつもいっしょにお酒を飲んでいます。
　彼らは怠けものです。

私はテニスをします。
君もテニスをします。
私たちはいつもいっしょにテニスをします。
　私たちは幸せです。

ノート

1. **auch** 日本語では，「君も…」のように，「も」は主語の直後に置かれることもありますが，ドイツ語の「も」，すなわち auch はこのように文中に置かれます。
2. **sind** 英語の *are* に対応し，「…です」という意味です。
3. **gern** 副詞として「喜んで」という意味ですが，「…するのが好きだ」と訳すと，自然な日本語になる場合が多いです。

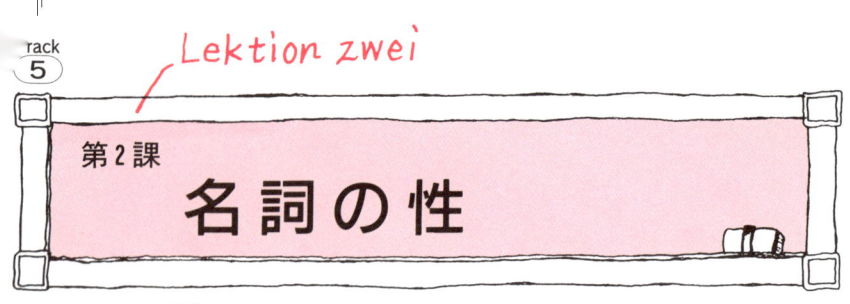

第2課 名詞の性

Lektion zwei

der デア	Vater ファーター	父
die ディー	Mutter ムッター	母
das ダス	Kind キント	子供

定冠詞 / 名詞 / 大文字

✳ ポイント

　上例の，頭文字を大文字にしたのが名詞，その前にあるのが定冠詞です。定冠詞の形が3つとも違いますね。この課では名詞と冠詞に関することを学びます。

§1　名詞の頭文字

　ドイツ語の名詞のもっとも際立った特徴は，頭文字を文中でも常に大文字で書くということです。前課で Ich lerne Deutsch. と Deutsch を大文字で書きはじめたのも，Deutsch が名詞だからなのです。

しつこく 名詞は大文字で

§2　名詞の「性」

→ 男, 女, 中性の3つ

　ドイツ語の名詞の2番目の特徴は，どの名詞もかならず男性か女性か中性かのいずれかの「性」を1つ持つということです。それは，Vater「父」とか Kuh「雌牛」のような人や動物を表す名詞に限らず，物や概念を表す名詞にも「性」があるのです。たとえば Tisch「机」は「男性」，Liebe「愛」は「女性」，Dach「屋根」は「中性」という「性」を持っているのです。

　今後，文法の説明のために，「男性」の名詞を男性名詞，「女性」の名詞を女性名詞，「中性」の名詞を中性名詞と呼ぶことにします。

男性名詞	⇐ Vater	父	Tisch ティッシュ	机
女性名詞	⇐ Mutter	母	Liebe リーベ	愛
中性名詞	⇐ Kind	子供	Dach ダッハ	屋根

（手書き注記：意味からは性は分からない　der Tisch　das Dach と定冠詞つきで暗記！）

（手書き注記：子供は男や女になる前だから中性）

　では，どの名詞がどの「性」を持つかということになりますが，Vater「父」とか Kuh「雌牛」のような，人や動物を表す名詞の場合，その生物上の性にほぼ従うのですが（Vater は「男性」，Kuh は「女性」），物や概念を表す名詞の場合，残念ながら，その意味から「性」別を知ることができません。でも，名詞が「性」を持つなんておもしろくありませんか。物にも生命が宿っているという昔の思想の遺物ではないかと言われています。

§3　名詞の性と冠詞

　では，名詞の「性」はなんのためにあるのでしょうか。これが重要になるのは名詞に冠詞を結びつける場合で，名詞の「性」によって定冠詞（英：*the*）や不定冠詞（英：*a／an*）の形が異なるのです。それぞれどのような形になるかを表で示してみましょう。

（手書き注記：女性はやさしい感じのe／男，中性は同じ）

	定冠詞		不定冠詞	
男性名詞 ⇒	**der** デア	Brief ブリーフ	**ein** アイン	Brief
女性名詞 ⇒	**die** ディー	Wand ヴァント	**eine** アイネ	Wand
中性名詞 ⇒	**das** ダス	Buch ブーフ	**ein**	Buch

　このように，名詞の「性」別に応じて冠詞の形が変わることを考えて，名詞を覚える場合，der Brief, die Wand のように，定冠詞を付けて覚える習慣をつけてください。

第3課 名詞と冠詞の格変化

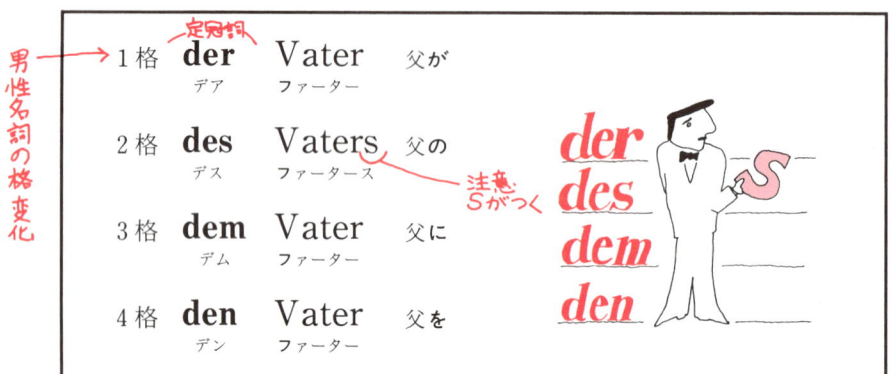

✵ ポイント

　上例で，名詞の前の定冠詞の形が少しずつ変わり，名詞も2格と書かれたところで末尾にsが付いていますね。この課では，「…が」とか「…を」とかいう文中の役割によって名詞や冠詞が形を変えることを学びます。

§1　格の種類

　文中における名詞の役割を「格」と呼びますが，ドイツ語の「格」は，1格，2格，3格，4格の4種類です。

　これらは，意味的に日本語の格助詞「…が，…の，…に，…を」に対応します。ですから，名詞の形を見て，1格ならば「…が」，2格ならば「…の」，3格ならば「…に」，4格ならば「…を」と訳せばよいのです。

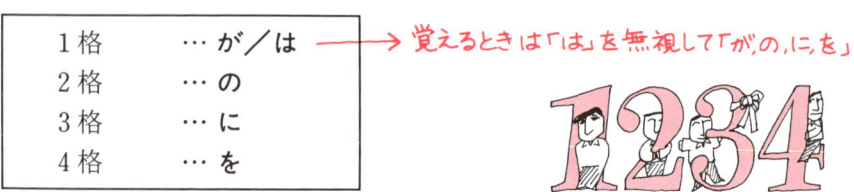

§2　格の形

　次に，ドイツ語の名詞と冠詞がこの4つの格に応じて，どのように形を変えるのかを具体的に見ることにしましょう。この形を格形と呼びます。

　男性名詞の場合は，すでに冒頭に Vater を例にして4つの形を挙げました。名詞の方には2格で -s が付いているだけですが，定冠詞が4つとも形が明らかに異なる点に注意してください。

　では，女性名詞と中性名詞の場合は，どうでしょうか。似ているところもいくつかありますが，混乱しないようにしっかり学んでください。

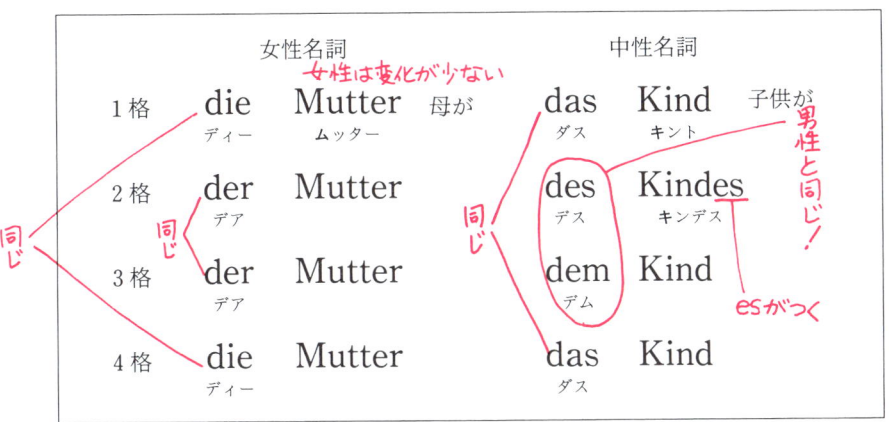

　女性名詞の場合，名詞はまったく変化せず，定冠詞は1格と4格，2格と3格が同じ形であることに注意してください。中性名詞の場合，名詞は2格で語尾が付き，定冠詞は1格と4格が同じ形であることに注意してください。このように，名詞および冠詞が格によって形を変えることを格変化と呼びます。

§3　2格の格語尾

　上例で明らかなように，名詞自体の格変化は，男性名詞と中性名詞の2格において -[e]s を付けるだけです。女性名詞が形を変えることはありません。2格語尾の -s と -es の使い分けは口調上の問題で，名詞の「性」とは関係がありません。おおざっぱに言えば，1音節の単語の場合には -es を，それ以上の音節の場合には -s を付けるのです。

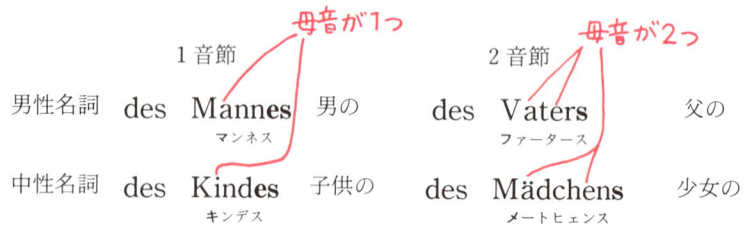

なお，-s, -sch などで終わる男性・中性名詞には，かならず -es を付けます。

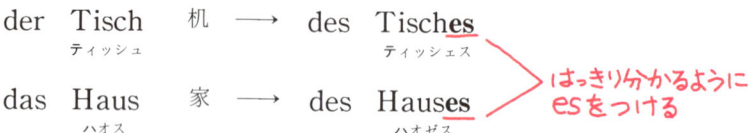

§4　定冠詞の格変化

　名詞自体の格変化はわずかであるのに対して，定冠詞ははげしく形を変えていますね。ですから，定冠詞は文中における名詞の格を知る上できわめて大切な働きをしているのです。念のために，定冠詞の格変化だけを取り出して，表にしてみましょう。何度も口に出して，しっかり暗唱してください。

	男性	女性	中性
1格	**der**　デア	**die**　ディー	**das**　ダス
2格	**des**　デス	**der**　デア	**des**　デス
3格	**dem**　デム	**der**　デア	**dem**　デム
4格	**den**　デン	**die**　ディー	**das**　ダス

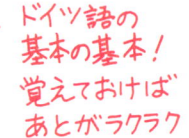

§5 不定冠詞の格変化

定冠詞と対をなすのが不定冠詞です。不定冠詞の格変化は，男性1格と中性1・4格に語尾がありません。他はすべて定冠詞の格変化と同じです。不定冠詞もきわめて重要ですので，口に出してしっかり暗唱してください。

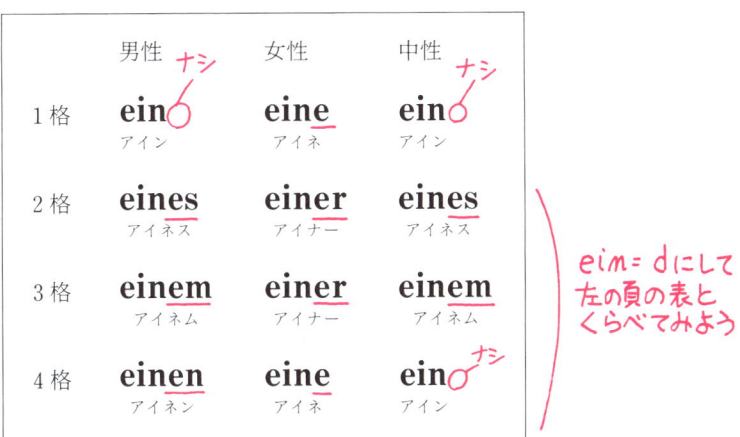

§6 格の用法

最後に，格の用法を示すために，簡単な例を挙げましょう。2格の名詞は修飾する名詞の後ろに置かれることに注意してください。

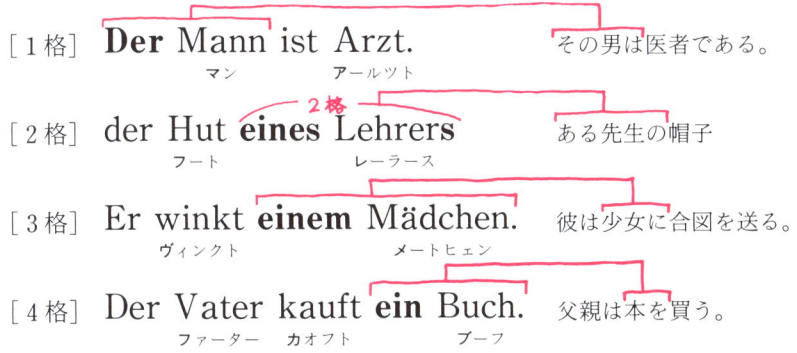

練習問題　2　（格変化）

Ⅰ．次の名詞を格変化させなさい。

　　　　der Freund 友人　　　das Buch 本　　　die Rose バラ
　　　　　　フロイント　　　　　　ブーフ　　　　　　ローゼ

　2格＿＿＿＿＿＿＿＿　　＿＿＿＿＿＿＿＿　　＿＿＿＿＿＿＿＿

　3格＿＿＿＿＿＿＿＿　　＿＿＿＿＿＿＿＿　　＿＿＿＿＿＿＿＿

　4格＿＿＿＿＿＿＿＿　　＿＿＿＿＿＿＿＿　　＿＿＿＿＿＿＿＿

　　　　ein Freund　　　　　ein Buch　　　　　eine Rose

　2格＿＿＿＿＿＿＿＿　　＿＿＿＿＿＿＿＿　　＿＿＿＿＿＿＿＿

　3格＿＿＿＿＿＿＿＿　　＿＿＿＿＿＿＿＿　　＿＿＿＿＿＿＿＿

　4格＿＿＿＿＿＿＿＿　　＿＿＿＿＿＿＿＿　　＿＿＿＿＿＿＿＿

Ⅱ．下線部に格語尾を入れなさい（ein__ は不定冠詞，d__ は定冠詞）。

1．D＿＿＿ Vogel fliegt schnell.
　　　　　フォーゲル フリークト シュネル

2．D＿＿＿ Mutter schreit laut.
　　　　　ムッター　シュライト　ラオト

3．Ich suche ein＿＿＿ Brille.
　　ズーヘ　　　　　　　ブリレ

4．Er kauft ein＿＿＿ Buch.
　　　カオフト　　　　　ブーフ

5．Wir essen ein＿＿＿ Apfel.
　　　エッセン　　　　　アップフェル

6．Er schenkt d＿＿＿ Mädchen ein__ Rose.
　　　シェンクト　　　　メートヒェン　　ローゼ

🗨 単語メモ

der Vogel 鳥　die Mutter 母親　die Brille メガネ　das Buch 本　der Apfel リンゴ
das Mädchen 少女　die Rose バラ　fliegen 飛ぶ　schreien 叫ぶ　suchen 探す
kaufen 買う　essen 食べる　schenken 贈る　schnell 速く　laut 大声で

第4課 不規則な人称変化

Lektion vier

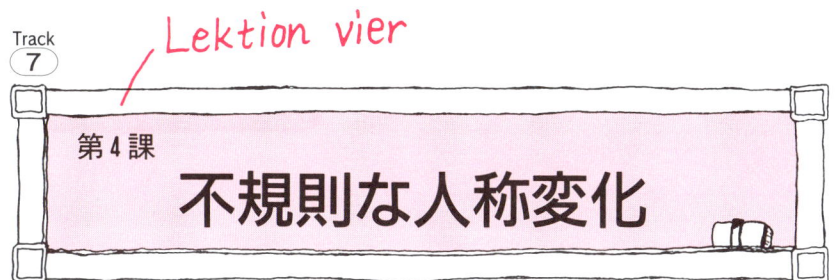

不定形：fahren [ファーレン] 乗物で行く

ich	fahre ファーレ	wir	fahren
du	**fährst** フェールスト	ihr	fahrt ファールト
er	**fährt** フェールト	sie	fahren

（主語がまだ定まらない形）
（定形）
（ここがくせ者！）
（¨ がつく）

ポイント

　上例の人称変化の du と er のところで，動詞の変化が少し異なっていますね。大部分の動詞は第1課で述べたような変化をしますが，部分的に不規則な変化を示す動詞がわずかながらあるのです。そのような動詞に出会っても驚かないように，この課では動詞の不規則な人称変化を学びます。

§ 1　口調上の e —→ 発音しやすくするために入れる e [エー]

　まず，人称語尾の前に e を挿入する動詞です。語幹が -d, -t で終わる動詞は，語尾 -st や -t を直結しにくいため，du に対する人称語尾は -est，er／ihr に対する人称語尾は -et というように，e を語尾と語幹の間に挿入します。これは発音をしやすくするための工夫と言えます。
　この e を「口調上の e」と呼びます。実例を見てみましょう。

finden 見つける	ich	finde	wir	finden
	du	find**est**	ihr	find**et**
	er	find**et**	sie	finden

warten 待つ	ich	warte	wir	warten
	du	wart**est**	ihr	wart**et**
	er	wart**et**	sie	warten

なお，不定形の語尾が -n で終わる動詞があることを述べましたが（17ページを参照），これらの動詞において語幹が -el- で終わる場合，1人称単数において語幹の e が落ちることもここでついでに覚えてください。

angeln 釣りをする	ich	angle	wir	angeln
	du	angelst	ihr	angelt
	er	angelt	sie	angeln

§2　母音が変わる不規則変化

次に，母音が変わる不規則変化をする動詞です。しかし，不規則に変化すると言っても，2・3人称単数において幹母音を変えるだけで，他の箇所は規則的に変化します。不規則変化はウムラウト・タイプと i[e]- タイプの2つに分けることができます。

(イ) ウムラウト・タイプ

このタイプは，冒頭のポイントに挙げた fahren のように，**a** が **ä** に変わるものです。

【類例】　fallen　転ぶ　　du fällst　　er fällt
　　　　　ファレン　　　　　　フェルスト　　　フェルト

　　　　　schlafen　眠る　du schläfst　er schläft
　　　　　シュラーフェン　　　シュレーフスト　シュレーフト

…がつく
4回以上発音してみよう

(ロ) i[e]- タイプ

これは，幹母音 **e** が **i** あるいは **ie** に変わるものです。変化するのは2人称・3人称単数のみです。また，なかには一部子音も変化するものがあるので注意してください。

sprechen	ich spreche	wir sprechen
シュプレッヒェン　話す	シュプレッヒェ	
	du sprichst	ihr sprecht
	シュプリヒスト	シュプレヒト
	er spricht	sie sprechen
	シュプリヒト	

【類例】　geben　　与える　du gibst　　er gibt
　　　　　ゲーベン　　　　　ギープスト　　ギープト

　　　　　helfen　　助ける　du hilfst　　er hilft
　　　　　ヘルフェン　　　　ヒルフスト　　ヒルフト

　　　　　lesen　　読む　　du liest　　er liest
　　　　　レーゼン　　　　　リースト　　　リースト

　　　　　nehmen　取る　　du nimmst　er nimmt
　　　　　ネーメン　　　　　ニムスト　　　ニムト

　　　　　sehen　　見る　　du siehst　　er sieht
　　　　　ゼーエン　　　　　ズィースト　　ズィート

3回以上発音してみると感じでわかるようになる

なお，これらの動詞はどれも重要なものですから，巻末付録の不規則動詞変化表を参照して，出来るだけ多くの動詞を覚えるようにしてください。

→ *身近な動詞に要注意！*

第5課 前置詞の格支配

Lektion fünf

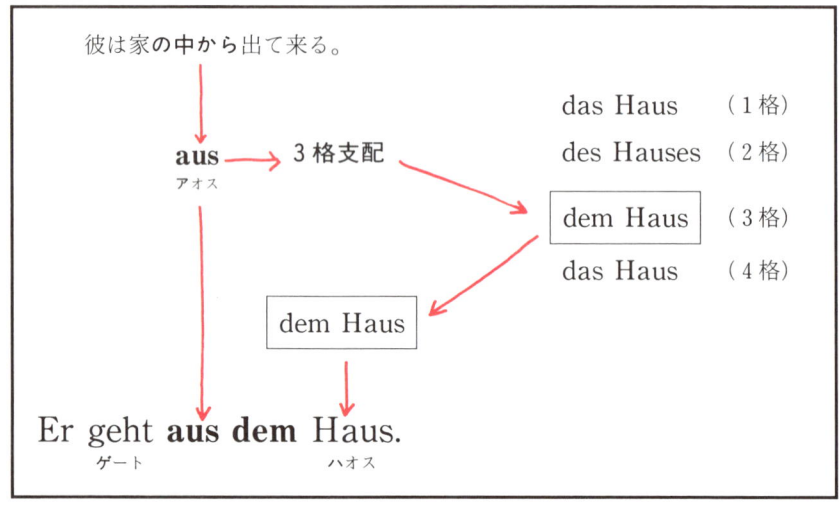

✁ ポイント

上例の aus が前置詞です。その後ろの名詞 Haus は dem Haus と3格になっています。前置詞を用いる場合，結びつく名詞は格変化するのです。この課では，どういう前置詞が何格の名詞と結びつくのかを学びます。

§1　前置詞の格支配

> 2, 3, 4 格のどの格を支配するか
> つまり，やさしくいえば，
> どの格といっしょに使われるか

名詞が文中で「が，の，に，を」以外の関係，たとえば「…から，…へ，…と」などの関係を表す場合，前置詞が用いられるのです。その場合，前置詞は，2格か3格か4格かのいずれかの格の名詞と結びつきます。これを**前置詞の格支配**と呼びます。では，どのような前置詞がどの格と結びつくのかを学ぶことにしましょう。

§2　1つの格形と結びつく前置詞

<u>格形</u>　2格か3格か4格のどれか

　§3で扱う9つの前置詞を除けば，前置詞はすべて1つの格形とのみ結びつきます。格支配には次の3種類がありますが，ひとつひとつ順をおって実例を挙げてみましょう。

(イ)　2格の名詞と結びつく前置詞

　まずはじめは2格の名詞と結びつく前置詞です。このような前置詞を**2格支配の前置詞**と呼びます。

außerhalb　アオサーハルプ	…の外に	**trotz**　トロッツ	…にもかかわらず
während　ヴェーレント	…の間	**wegen**　ヴェーゲン	…のために

außerhalb der Stadt　町の外で　　trotz des Regens　雨にもかかわらず
　　　　　シュタット　　　　　　　　　　　　レーゲンス

wegen der Erkältung　風邪のために　während des Essens　食事中に
　　　　エアケルトゥング　　　　　　　　　　　　エッセンス

(ロ)　3格の名詞と結びつく前置詞

　次は，3格の名詞と結びつく前置詞です。このような前置詞を**3格支配の前置詞**と呼びます。なお，gegenüber は名詞の後ろによく置かれます。

aus　アオス	…の中から	**bei**　バイ	…の側に
gegenüber　ゲーゲンユーバー	…の向かいに	**mit**　ミット	…と一緒に
nach　ナーハ	…の方へ	**von**　フォン	…から／…の
		zu　ツー	…のところへ

bei einem Brunnen　泉の側で　　der Kirche gegenüber　教会の向か
　　　　ブルンネン　　　　　　　　キルヒェ　　ゲーゲンユーバー　いに

33

mit einem Freund　　友達とともに　　nach der Arbeit　　仕事の後で
　　　　フロイント　　　　　　　　　　　　　　　アルバイト

Er geht zu einer Ausstellung.　　彼は展示会に行く。
　　ゲート　　　　アオスシュテルング

(ハ)　4格の名詞と結びつく前置詞

最後は，4格の名詞と結びつく前置詞です。このような前置詞を**4格支配の前置詞**と呼びます。

durch ドゥルヒ	…を通って	**für** フューア	…のために	**gegen** ゲーゲン	…に向かって
ohne オーネ	…なしで	**um** ウム	…のまわりに		

durch die Tür　　戸を通って　　　für die Familie　　家族のために
　　　テューア　　　　　　　　　　　　　　　ファミーリエ

gegen den Strom　流れに逆らって　um den Tisch　　テーブルの周りに
　　　　シュトローム　　　　　　　　　　　ティッシュ

eine Wohnung ohne Bad　　風呂なしの住まい
　　　ヴォーヌング　　　バート

§3　3格と4格を支配する前置詞

前置詞は原則的に1つの格を支配するのですが，次の9つの前置詞は，用法によって3格を支配したり，4格を支配したりします。これらは an, auf, hinter, in, neben, über, unter, vor, zwischen ですが，どのような場合に3格が，あるいは4格が用いられるかは規則的に決まっています。

動作の行われる(あるいはある状態が続いている)位置「どこそこ**で**」を表すときには3格を支配し，動作によって人やものが移動して行く方向「どこそこ**へ**」を表すときには4格を支配するのです。前置詞の in で具体例を挙げてみましょう。

3格 = …の中で 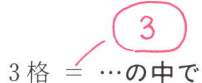　　　4格 = …の中へ

Das Kind spielt in **dem** Garten.　　Das Kind geht in **den** Garten.
　キント　シュピールト　　　　ガルテン　　　　　　　　　　　ゲート

子供は庭で遊んでいる。　　　　　　子供は庭へ入って行く。

これらの用法を一覧表にしてみましょう。

	3格支配	4格支配
an アン	…のきわで	…のきわへ
auf アオフ	…の上で	…の上へ
hinter ヒンター	…の後ろで	…の後ろへ
in イン	…の中で	…の中へ
neben ネーベン	…の横で	…の横へ
über ユーバー	…の上方で	…の上方へ
unter ウンター	…の下で	…の下へ
vor フォーア	…の前で	…の前へ
zwischen ツヴィッシェン	…の間で	…の間へ

§4 前置詞と定冠詞の融合形

定冠詞が用いられる場合でも，名詞の表す人やものを「その…」と，特に強く指示する必要のない場合，前置詞は定冠詞と融合し，次のような形になります。

am < an dem	**ans** < an das	**beim** < bei dem
アム	アンス	バイム
vom < von dem	**zum** < zu dem	**zur** < zu der
フォム	ツム	ツーア

Er geht allein **ins** Kino.
　ゲート　アライン　　キーノ
彼は一人で映画に行く。

Er bringt jetzt den Koffer **zum** Bahnhof.
　ブリングト　イェッツト　　コッファー　　　バーンホーフ
彼は今トランクを駅に運ぶ。

§5 動詞の前置詞支配

前置詞には，以上のような独立した意味を持つ用法の他に，英語の *look at* ～ の *look* と *at* の関係のように，前置詞の使用が動詞によって規定されることがあります。たとえば，「思う，考える」という意味の動詞 denken を用いて，「…のことを思う」ということを表す場合，動詞 denken は前置詞 an と結びつきます。このように，動詞が特定の前置詞と結びつくこと（要求すること）を**動詞の前置詞支配**と呼びます。

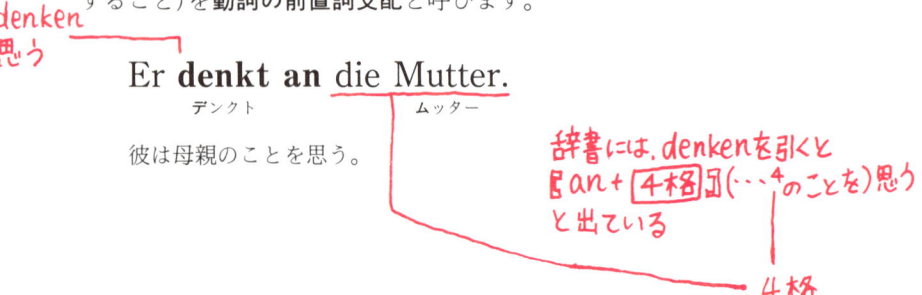

Er **denkt an** die Mutter.
　デンクト　　ムッター
彼は母親のことを思う。

練習問題 3 （前置詞）

Ⅰ．下線部に適当な格語尾を入れ，訳しなさい。

1．Er tanzt mit ein___ Mädchen.

2．Nach d___ Essen geht er aus d___ Haus.

3．Die Kirche liegt d___ Park gegenüber.

4．Er kauft ein Haus außerhalb d___ Stadt．

5．Wir sitzen um ein___ Tisch．

Ⅱ．下線部に，3格か4格かに注意し，適当な格語尾を入れなさい。

1．Er steht vor d___ Kirche.

2．Ich gehe hinter d___ Baum.

3．Er legt das Buch auf ein___ Tisch．

4．Wir sitzen neben d___ Lehrer.

5．Sie steht an ein___ Fenster.

単語メモ

das Mädchen 女の子　　das Essen 食事　　das Haus 家　　die Kirche 教会
der Park 公園　die Stadt 町　der Tisch テーブル　der Baum 木　das Buch 本
der Lehrer 先生　　das Fenster 窓　　tanzen 踊る　　gehen 行く　　liegen ある
kaufen 買う　sitzen 座っている　stehen 立っている　legen 横にして置く

テキスト II ─────── Schade！ Sehr schade！

〉会話のシチュエーション〈

大学での出席調べです。

先　　生： **Frau¹ Alter！**
　　　　　フラオ　アルター

アルター： **Hier²！**
　　　　　ヒーア

先　　生： **Sind Sie heute vorbereitet？**
　　　　　　　　　　ホイテ　フォーアベライテット

アルター： **Nein！**
　　　　　ナイン

先　　生： **Schade！Sehr schade！**
　　　　　シャーデ　　ゼーア

　　　　　…Herr Bauer！
　　　　　　　ヘア　　バオアー

ある学生： **Fehlt！Er ist erkältet.**
　　　　　フェールト　　　　エアケルテット

先　　生： **Schade！Sehr schade！**

　　　　　…Frau Baum！
　　　　　　　フラオ　バオム

ある学生： **Fehlt！Sie ist auch³ erkältet！**
　　　　　　　　　　　　　　アオホ

先　　生： **Schade！Sehr schade！**

　　　　　…Herr Berg！
　　　　　　　　　　ベルク

ベルク君： **Hier！**
　　　　　ヒーア

38

先　　生： Sind Sie heute vorbereitet？
　　　　　　　　　　ホイテ　　フォーアベライテット

ベルク君： Nein！
　　　　　　ナイン

先　　生： Schade！Sehr schade！
　　　　　　シャーデ　　ゼーア

出席調べが進み，最後の一人を残すだけになりました。

先　　生： Frau Zimmer！
　　　　　　フラオ　ツィンマー

ある学生： Fehlt！Sie ist auch erkältet.
　　　　　　フェールト　　　　　　エアケルテット

先　　生： Schade！Sehr schade！

　　　　　　Heute sind Sie alle[4] entweder erkältet
　　　　　　　　　　　　　　　アレ　エントヴェーター

　　　　　　oder gar nicht vorbereitet.
　　　　　　オーダー　ガール　ニヒト

　　　　　　Schade！Sehr schade！

　　　　　　Ich bin immer gesund und gut
　　　　　　　　　　　インマー　ゲズント　ウント　グート

　　　　　　vorbereitet.

学生全員：（大声）*Schade！Sehr schade！*

　　　　　　残念！　本当に残念！
先　　　生：アルターさん！
アルター：ハイ！
先　　　生：今日は予習してありますか？
アルター：イイエ！
先　　　生：残念！　本当に残念！　……　バオアー君！
ある学生：欠席です。彼は風邪です。
先　　　生：残念！　本当に残念！　……　バオムさん！
ある学生：欠席です。彼女も風邪です。
先　　　生：残念！　本当に残念！　……　ベルク君！
ベルク君：ハイ！
先　　　生：今日は予習してありますか？
ベルク君：イイエ！
先　　　生：残念！　本当に残念！

先　　　生：ツィンマーさん！
ある学生：欠席です。彼女も風邪です。
先　　　生：残念！　大変残念です！
　　　　　　今日はみんな風邪をひいているか
　　　　　　まったく予習をしていないかですね。
　　　　　　残念！　大変残念です！
　　　　　　私はいつも健康で充分予習してあります。
学生全員：残念！　大変残念です！

ノート

1. Frau 「…さん」と，人の名前を呼ぶ場合，男性には Herr（英語：*Mr.*）を，女性には Frau（英語：*Ms.*）を用います。
2. Hier 学校で出席調べをする場合，出席していれば Hier！（本来は「ここに」という意味）と答え，欠席していれば他の生徒が Fehlt！（本来は fehlen［フェーレン］「欠席している」の3人称単数形）と主語を省いて答えます。
3. auch 「…もまた」。ここでは，主語にかかり「彼女もまた」。
4. alle 「みんな」という意味の副詞で，主語の Sie と同格的に用いられ，「みなさん全員が」。

単語メモ

entweder... oder~	…か～	nein	いいえ（英語：*no*）
erkältet	動詞 sein と用いられて，「風邪をひいている」。	nicht	…でない
gar	nicht の強め。gar nicht で「まったく…でない」。	schade	残念な
gesund	動詞 sein と用いられて，「健康である」。	sehr	非常に
gut	よく，十分に	vorbereitet	動詞 sein と用いられて，「準備がしてある」。
heute	きょう		
immer	いつも		

第6課 語順

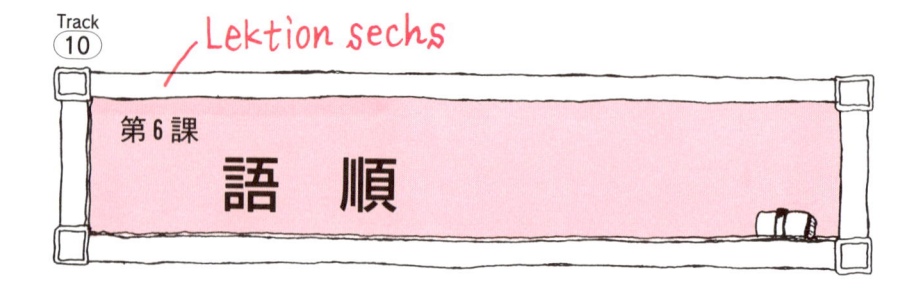

Lektion sechs

祐子は		今日	ハンスと	駅に	行く
Yuko	___	heute	mit Hans	zum Bahnhof	gehen
Yuko	geht	heute	mit Hans	zum Bahnhof.	

文の2番目に移動する

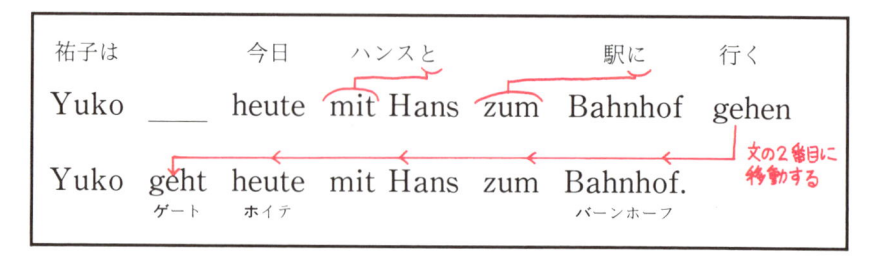

ゲート　ホイテ　　　　　　バーンホーフ

✺ ポイント

　上例の日本語の文とドイツ語の文の語順は，動詞の位置を除き，きわめて似ていますね。ですから，ドイツ語の語順を考える時には日本語と比較するのが一番なのです。この課では，ドイツ語の語順を学びます。

§1　平叙文の語順

　はじめはまず，「…する」とか「…だ」というような普通の文，すなわち平叙文の語順から説明しましょう。ドイツ語の平叙文の語順と日本語の平叙文の語順の違いは，動詞の位置だけです。したがって，ドイツ語の平叙文を作るには，冒頭に図示したように，まずドイツ語の語句を日本語の場合と同じ順序で並べ，最後に来る動詞（gehen）を定形（geht）にし，文頭から二番目の位置に移せばよいのです。これを**定形第2位**の原則と呼びます。

　ここで少し注意して欲しいのが文頭の語句です。日本語では文頭にいろいろな語句を置くことができますが，ドイツ語でもそれは同じです。主語を文頭に置くとは決まっていないのです。したがって文脈次第では，題文も次のようになることがあります。

Heute **geht** Yuko mit Hans zum Bahnhof.
今日祐子はハンスと駅に行く。

定形は文の2番目と決まっている

入れかえできる

Mit Hans **geht** Yuko heute zum Bahnhof.

ハンスといっしょに祐子は今日駅に行く。

これらもドイツ語としては正しい文なのです。定形の位置（第2位）のみが文法的に決まっているのです。

§2　疑問文の語順

疑問文には，答として ja ［ヤー］「はい」か nein ［ナイン］「いいえ」のどちらかを問う**決定疑問文**と，wer ［ヴェーア］「誰が？」とか wann ［ヴァン］「いつ？」とかの疑問詞による**補足疑問文**の2種類がありますが，これらは次のようにして作ります。どちらの場合も，英語の *do* にあたるような助動詞は用いません。

決定疑問文は，語句を日本語と同じ順序で並べ，最後に来る動詞を文頭に置いて作ります。

　　＿＿＿，　祐子は，　今日，　　学校に，　行きます，　か？
　　　　　　Yuko　heute　zur Schule　gehen　　？

　Geht　Yuko　heute　zur Schule？

―― Ja, sie geht heute zur Schule.

　　はい，彼女はきょう学校へ行きます。

補足疑問文は，語句を日本語と同じ順序で並べ，疑問詞を文頭に，最後に来る動詞を第2位に置いて作ります。

　　＿＿＿，　＿＿＿，　彼は，　いつ，　　学校に，　　行く，　のですか？
　　　　　　　　　　　er　　wann　zur Schule　gehen　　？

　　Wann　　geht　　er　　zur Schule？

43

—— Morgen geht er zur Schule.
モルゲン

明日彼は学校へ行きます。

§3 疑問詞

最後に，補足疑問文を作る疑問詞をいくつか挙げることにしましょう。はじめに，場所や時，理由などを尋ねる副詞的な疑問詞です。

wann いつ	**warum** なぜ	**wie** どのように
ヴァン	ヴァルム	ヴィー
wo どこで	**wohin** どこへ	**woher** どこから
ヴォー	ヴォヒン	ヴォヘーア

Wohin geht er?   彼はどこに行くのですか？
ヴォヒン

—— Er geht zur Schule.   彼は学校に行くのです。
シューレ

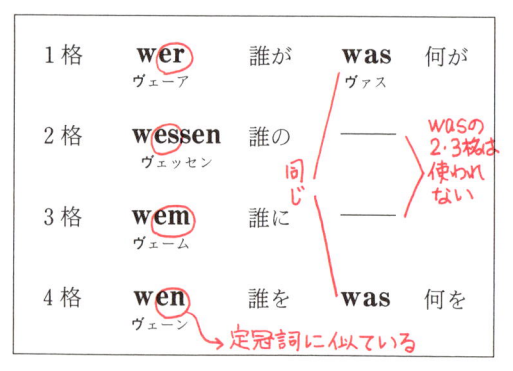

1格	**wer** ヴェーア	誰が	**was** ヴァス	何が
2格	**wessen** ヴェッセン	誰の	—	
3格	**wem** ヴェーム	誰に	—	
4格	**wen** ヴェーン	誰を	**was**	何を

次に，人とものについて尋ねる代名詞的なもので，これには wer［ヴェーア］「誰」と was［ヴァス］「何」の2つがあります。これらは左表のように格変化します。

Mit **wem** geht er zur Schule?　誰と一緒に彼は学校へ行きますか？
ヴェーム

—— Mit Hans geht er zur Schule.　ハンスと一緒に行きます。
ハンス

第7課 並列接続詞と従属接続詞

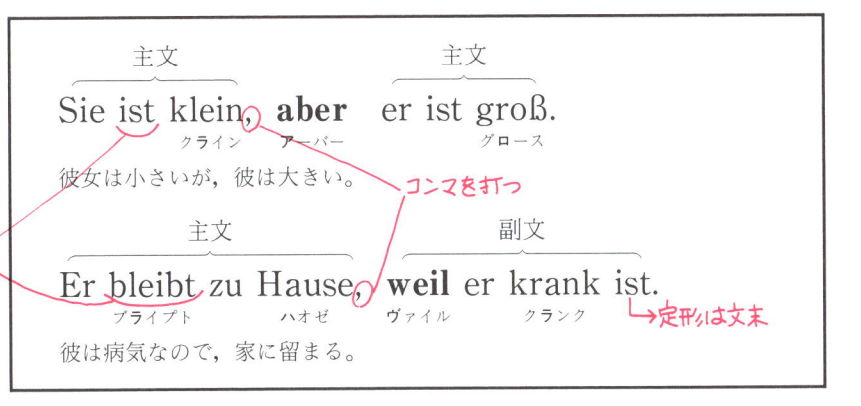

Lektion sieben

主文　　　　　　　　　主文
Sie ist klein, **aber** er ist groß.
　　クライン　　アーバー　　　グロース
彼女は小さいが，彼は大きい。

主文　　　　　　　　　副文
Er bleibt zu Hause, **weil** er krank ist.
　ブライプト　ハオゼ　　ヴァイル　　クランク
彼は病気なので，家に留まる。

（手書き注記：主文の定形は第2位／コンマを打つ／定形は文末）

ポイント

　文には主文と副文があります。主文はそれだけで独立している文で，副文は主文に従属している文です。aber［アーバー］（英：*but*）「しかし」のように主文と主文（あるいは語句と語句）を結びつける接続詞を並列接続詞と呼び，weil［ヴァイル］（英：*because*）「…なので」のように主文に副文を接続させる接続詞を従属接続詞と呼びます。この課では，接続詞を学びます。

§1　並列接続詞

　主文と主文（あるいは語句と語句）を結びつける並列接続詞には，aber 以外に，次のものがあります。§2の従属接続詞と異なる点は動詞の位置ですので，動詞の位置に注意しながら，例文を読んでください。

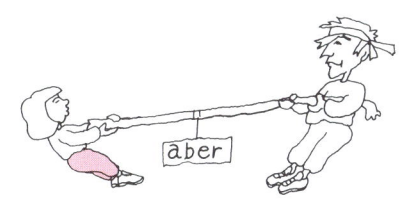

| **denn**　…と言うのは |

Ich bleibe zu Hause, **denn** ich bin krank.
　　　ブライベ　　　　　　デン　　　　　　クランク

私は家に留まります。と言うのは，病気なのです。

| **oder**　…かあるいは～ |

Ich gehe heute **oder** morgen zum Arzt.
　　　　ホイテ　オーダー　モルゲン　　　アールツト

私は今日か明日医者のところに行きます。

| **(nicht ...,) sondern**　…でなく，～ |

Wir gehen **nicht** ins Kino, **sondern** ins Konzert.
　　　　　ニヒト　　キーノ　　ゾンダーン　　　コンツェルト

私たちは映画ではなく，コンサートに行く。

| **und**　そして |

― 2人→複数の格変化

Er **und** sie gehen heute ins Kino.
　　ウント

彼と彼女は今日映画に行く。

| **weder ... noch**　…でもなく，～でもない |

Sie ist **weder** reich **noch** schön.
　　　　ヴェーダー　ライヒ　ノホ　シェーン

彼女は金持でもなければ，美しくもない。

§2　従属接続詞

　従属接続詞は副文を導き，主文に従属させるものです。主な従属接続詞として，weil 以外に次のものがあります。

als アルス	…した時に	**bevor** ベフォーア	…する前に
da ダー	…なので	**damit** ダミット	…するために
dass ダス	…ということ	**nachdem** ナーハデーム	…した後で
ob オップ	…かどうか	**obwohl** オップヴォール	…にもかかわらず
während ヴェーレント	…している間に	**wenn** ヴェン	もし…ならば

　従属接続詞を用いる場合，まず注意しなければならないことは，従属接続詞がかならず文頭に置かれるということです。次に注意しなければならないことは，その副文内の語順です。すなわち，従属接続詞によって導かれるような副文では，定形の動詞が，日本語と同じように，末尾に置かれるのです。念のため，図示してみましょう。

（…こと）	祐子が,	今日,	7時に,	起きる
	Yuko	heute	um 7 Uhr	aufstehen
..., dass	Yuko	heute	um 7 Uhr ウム ツィーベン ウーア	**aufsteht** アオフシュテート

　なお，副文を主文の前に置く場合，主文の定動詞は副文の直後に置かれることにも注意してください。副文，コンマ，定動詞という順序になります。

Bevor er zur Arbeit geht, bringt er das Kind in den Kindergarten.

彼は仕事に行くまえに子供を幼稚園に連れて行く。

Ich warte auf dich*, bis du zurückkommst.

私は君が戻って来るまで君のことを待っています。

Da ich krank bin, bleibe ich zu Hause.

病気なので，私は家に留まります。

Sie weiß, dass er sie* liebt.

彼女は，彼が彼女を愛していることを知っている。

Er arbeitet noch, obwohl er schon alt ist.

彼はもう年老いているが，まだ働いている。

Sie liest, während er schläft.

彼が寝ている間，彼女は読書をしている。

※第12課を参照。

コーヒーブレイク 1

動物の「性」と鳴き方

☆ ドイツ語の動物名がどのような「性」を持つのかを一覧表にして挙げてみましょう。ついでに，鳴き方と鳴き方を表す動詞も挙げます。

動物名	鳴き方	鳴き方（動詞）
der Hahn ハーン おんどり	kikeriki キケリキー	Der Hahn **kräht**. おんどりが鋭い声で鳴く。
der Hund フント 犬	wau, wau ヴァオ	Der Hund **bellt**. 犬がワンワンほえる。
der Frosch フロッシュ 蛙	quak, quak クヴァーク	Der Frosch **quakt**. 蛙がケロケロと鳴く。
die Katze カッツェ 猫	miau, miau ミアオ	Die Katze **miaut**. 猫がニャーニャー鳴く。
die Kuh クー 雌牛	muh, muh ムー	Die Kuh **muht**. 雌牛がモーと鳴く。
die Biene ビーネ みつばち	summ, summ ズゥム	Die Biene **summt**. みつばちがブンブン音をたてる。
das Schwein シュヴァイン 豚	grunz, grunz グルンツ	Das Schwein **grunzt**. 豚がブーブーと鳴く。
das Schaf シャーフ 羊	mäh, mäh メー	Das Schaf **blökt**. 羊がメエーと鳴く。

テキスト III — Der Löwe

Der Löwe schläft am Tag[1] sehr viel, er schläft oft vom Sonnenaufgang bis zum[2] Sonnenuntergang.

Aber er ist nicht faul. Er schläft zwar am Tag lange, aber nicht weil er faul ist.

Der Löwe ist ein Nachttier. Wenn der Abend kommt, wird er munter und beginnt mit der Jagd.

Er läuft[3] und läuft, bis er total erschöpft ist. Deswegen schläft er am Tag.

ノート

1. **am Tag** 　der Tag には「一日」という意味と「昼間」という意味がありますが、ここでは「昼間」という意味で用いられています。
2. **bis zum ...** 　前置詞 bis はしばしば，他の前置詞の前に置かれ，限界点を強調するのに用いられます：「…まで」。
   vom Morgen bis zum Abend　朝から夕方まで
3. **läuft und läuft** 　動詞の表す行為を強めたい場合、動詞を繰り返し用いることがあります。
   Er arbeitet und arbeitet. 彼は働きに働く。

ライオン

ライオンは昼間非常によく眠ります。しばしば，日の出から日の入まで眠ります。

しかしライオンは怠け者ではありません。昼間はたしかに長い間眠りますが，それはライオンが怠け者であるからではないのです。

ライオンは夜行性の動物なのです。夕方になると，ライオンは元気になり，猟を始めます。

まったく疲れきるまで，ライオンは走って走って走りまくるのです。そのために，ライオンは昼間眠っているのです。

単語メモ

am（＜an dem）	…に	nicht	…でない
beginnen《mit と共に》	…をはじめる	oft	しばしば
bis	…まで	schlafen（er schläft）	眠る
deswegen	そのために	sehr	非常に
erschöpft	疲れきって	Tag（der）	昼間
faul	怠けもので	total	まったく
Jagd（die）	狩	viel	たくさん
kommen	来る	vom（＜von dem）	…から
laufen（er läuft）	走る	weil	…なので
Löwe（der）	ライオン	werden（er wird）	…になる
Nachttier（das）	夜行性動物	zum（＜zu dem）	…に
(die Nacht 夜, das Tier 動物)		zwar…, aber…	たしかに…だが…

第8課 名詞の複数形

a. Da steht ein Haus.
   ダー シュテート ハオス
   あそこに家が一軒建っている。

b. Da stehen zwei Häuser.
   シュテーエン ツヴァイ ホイザー
   あそこに家が二軒建っている。

ポイント

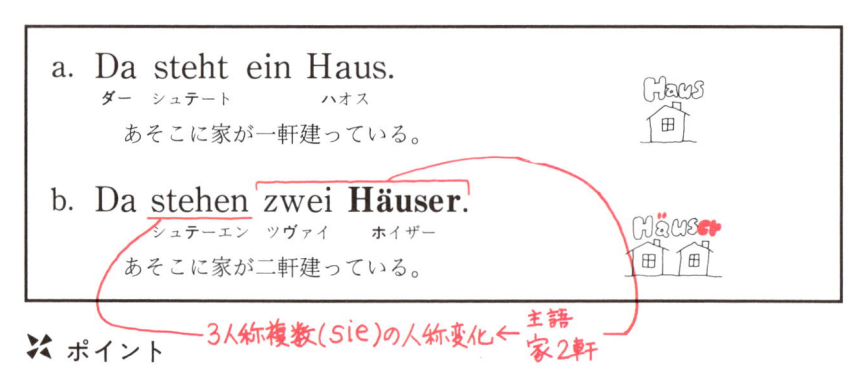

上例の a. 文の Haus が b. 文では Häuser と形が変わっていますね。ドイツ語の名詞は1つのものを表す場合と2つ以上のものを表す場合とで形が変わるのです。この課では，2つ以上のものを表す場合の形，すなわち複数形の作り方を学びます。

§1 複数形

名詞は，表すものの数が1つか2つ以上かによって形を変えます。1つのものを指す場合の名詞の形を単数形，2つ以上のものを指す名詞の形を複数形と呼びます。みなさんが辞書などで学ぶ名詞の形は単数形です。複数形の作り方には，なにも付けない場合も含めて，4種類あります。では，複数形の作り方を学ぶことにしましょう。

§2 4種の複数形

(イ) まず，第1グループは単数形と複数形が同形のものです。一部の名詞はウムラウトをすることがあるので，注意してください。

無語尾式

der	Lehrer	教師	—	die Lehrer
das	Fenster	窓	—	die Fenster
das	Messer	ナイフ	—	die Messer
der	Vater	父	—	die Väter
der	Bruder	兄(弟)	—	die Brüder
der	Garten	庭	—	die Gärten

（書き込み）複数の定冠詞は男，女，中性に関係なく全部 die

女性名詞は母と娘だけ
Mutter → Mütter
Tochter → Töchter

ここだけ違う

(ロ) 第2グループは，単数形に -er を付けて複数形を作るものです。ウムラウトの可能な母音 a, o, u, au を含む名詞の場合，かならずウムラウトをします。1音節の中性名詞は大部分このグループに入ります。

-er 式

das	Kind	子供	—	die Kinder
das	Wort	単語	—	die Wörter
das	Buch	本	—	die Bücher
das	Haus	家	—	die Häuser
der	Mann	男	—	die Männer

a, o, u は必ず ä, ö, ü にカエル（変er式）

女性名詞は1つもない

必ずウムラウト

(ハ) 第3グループは，単数形に -e をつけて複数形を作るものです。<u>一部の名詞はウムラウト</u>をするので，注意してください。1音節の男性名詞は大部分このグループに入ります。

-e 式	der	Freund フロイント	友人	——	die Freunde フロインデ
	der	Hund フント	犬	——	die Hunde フンデ
	das	Schiff シフ	船	——	die Schiffe シッフェ
	der	Sohn ゾーン	息子	——	die Söhne ゼーネ
	die	Nacht ナハト	夜	——	die Nächte ネヒテ

（ウムラウト）

（二）第4グループは，単数形に -en あるいは -n をつけて複数形を作るものです。女性名詞の多くがこのグループに入ります。

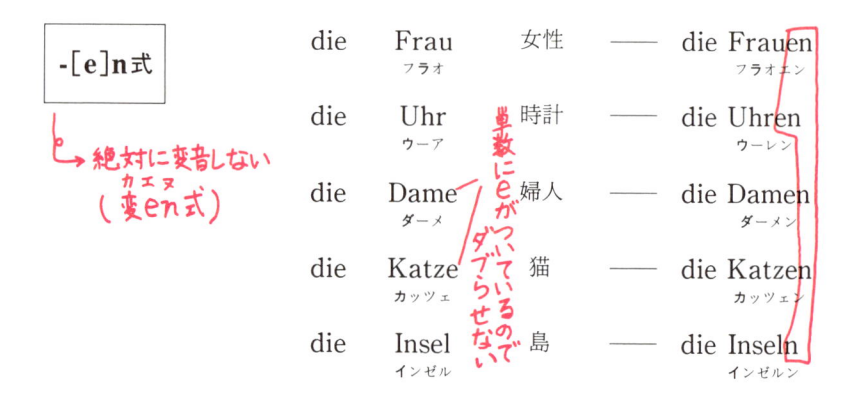

-[e]n式	die	Frau フラオ	女性	——	die Frauen フラオエン
	die	Uhr ウーア	時計	——	die Uhren ウーレン
	die	Dame ダーメ	婦人	——	die Damen ダーメン
	die	Katze カッツェ	猫	——	die Katzen カッツェン
	die	Insel インゼル	島	——	die Inseln インゼルン

→絶対に変音しない
（カエヌ
変en式）

単数にeがついているのでダブらせない

　以上の4つの種類の他に，複数語尾 -s を付けるものもあります。たとえば Auto［アオトー］「自動車」の複数形は Autos［アオトース］です。しかし，この種の名詞は数がきわめてわずかですので，上の4つをしっかり覚えてください。

　では，どの名詞が何式の複数形を作るかですが，原則的には辞書によってしか知る方法がないのです。したがって，こまめに辞書を引き，ひとつひとつの単語の複数形をしっかり覚えることがドイツ語に強くなるなによりの方法ということになります。実際に辞書でどのように表示されているかを，代

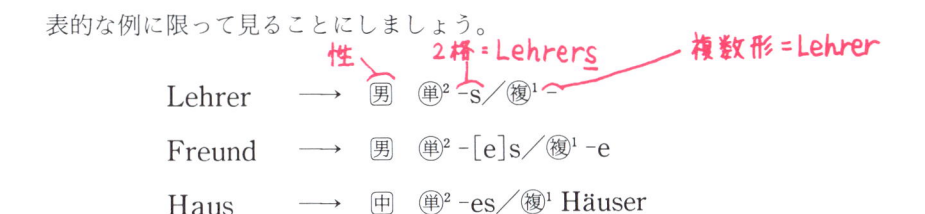

表的な例に限って見ることにしましょう。

Lehrer　→　男　(単)² -s ／(複)¹ -
Freund　→　男　(単)² -[e]s ／(複)¹ -e
Haus　→　中　(単)² -es ／(複)¹ Häuser

§3　複数の格変化

　複数における格変化は，単数の場合よりもきわめて単純です。まず，複数において変化する冠詞は定冠詞のみです。不定冠詞は，「ある本」とか「ある子供」とかいうように特定できない単数のものを表す場合に用いられますが，特定できない複数のものを表す場合は，冠詞を付けず，名詞の複数形だけを用います。

Ich lese sehr gern Bücher.　　私は本を読むのが好きです。
　　レーゼ　ゼーア　ゲルン　ビューヒャー

Haben Sie Kinder?　　お子さんはおありですか。
ハーベン　　　　キンダー

　定冠詞の複数形は，男性・女性・中性の区別なく，次のような一つの変化しかありません。

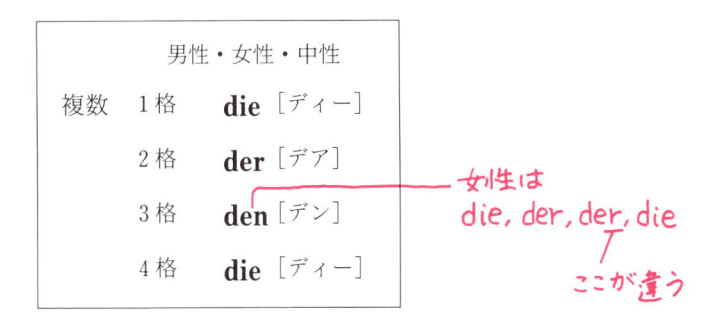

	男性・女性・中性
複数　1格	**die** ［ディー］
2格	**der** ［デア］
3格	**den** ［デン］
4格	**die** ［ディー］

　名詞も，男性・女性・中性の区別なく，3格に語尾 -n を付けるだけです。なお，複数1格形がすでに -n あるいは -s で終わっている場合にはなにも付けません。

			教師	本	婦人	自動車
複数	1格	die	Lehrer	Bücher	Damen	Autos
	2格	der	Lehrer	Bücher	Damen	Autos
	3格	den	Lehrer**n**	Bücher**n**	Damen	Autos
	4格	die	Lehrer	Bücher	Damen	Autos

（手書き注：-en／-s がつくと全部同じ／ここだけ違う）

§4　男性弱変化名詞 → 変化が弱い → 変化しない

単数・複数の名詞と冠詞の格変化を学んだところで，例外的な格変化をする男性名詞について触れてみましょう。ほんのわずかなのですが，2格で格語尾 -en をとり，3格以降もすべて -en になる名詞があるのです。これらは**男性弱変化名詞**と呼ばれます。

（手書き注：人間や動物に関係したものが多い）

			学生	人間
単数	1格	der	Student	Mensch
	2格	des	Student**en**	Mensch**en**
	3格	dem	Student**en**	Mensch**en**
	4格	den	Student**en**	Mensch**en**
複数	1格	die	Student**en**	Mensch**en**
	2格	der	Student**en**	Mensch**en**
	3格	den	Student**en**	Mensch**en**
	4格	die	Student**en**	Mensch**en**

（手書き注：違うのはここだけ）

練習問題 4 （複数形）

Ⅰ．次の名詞を複数形にし，格変化させなさい。

der Freund 友人
フロイント

die Uhr 時計
ウーア

複数 1格 _____ _____
　　 2格 _____ _____
　　 3格 _____ _____
　　 4格 _____ _____

das Haus 家
ハオス

der Garten 庭
ガルテン

複数 1格 _____ _____
　　 2格 _____ _____
　　 3格 _____ _____
　　 4格 _____ _____

Ⅱ．カッコ内の名詞を複数形にしなさい（4．の場合は2格）。

1．Der Vater liebt (das Kind).
　　ファーター　リープト　　　キント

2．Ich gebe (der Schüler) Äpfel.　　　　　リンゴ（＜Apfel）
　　ゲーベ　　　　シューラー　エップフェル

3．(Der Vogel) singen im Wald.　　　　ウムラウトするよ！
　　フォーゲル　ズィンゲン　ヴァルト　　　（無語尾式）

4．Der Vater (das Kind) ist reich.
　　　　　　　　　キント　　　ライヒ

単語メモ

der Vater 父親　　das Kind 子供　　der Schüler 生徒　　der Apfel リンゴ
der Vogel 鳥　　der Wald 森　　lieben 愛する　　geben 与える　　singen 歌う
reich 金持な

第9課 冠詞類の格変化

Lektion neun

mein Freund	**meine** Frau	**mein** Haus
マイン　フロイント	マイネ　フラオ	ハオス
私の友人	私の妻	私の家

ポイント

上例で名詞の前に置かれ，「私の」を意味する mein, meine, mein が不定冠詞 ein に似ていることに気付きましたか。この課では，冠詞に準ずる語の格変化を学びます。

§1　2種類の冠詞類

単数，複数

冠詞と同じように，名詞の性，数，格によって語尾を変える語（たとえば上例の mein など）を総称して「冠詞類」と呼びます。これらの変化の仕方には定冠詞に準ずるものと不定冠詞に準ずるものの2種類があります。

der, die, das　　ein

§2　定冠詞類の格変化

dieser 型ともいう

「冠詞類」のうち，定冠詞に準ずる変化をするものを**定冠詞類**と呼びます。代表例として dieser と welcher の格変化を挙げてみましょう。

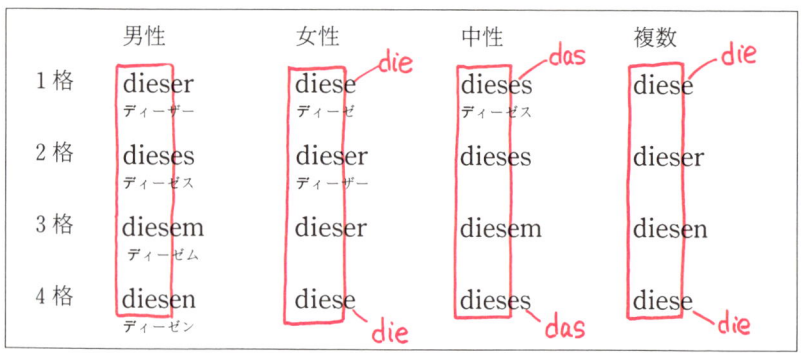

	男性	女性	中性	複数
1格	dieser ディーザー	diese　die ディーゼ	dieses　das ディーゼス	diese　die
2格	dieses ディーゼス	dieser ディーザー	dieses	dieser
3格	diesem ディーゼム	dieser	diesem	diesen
4格	diesen ディーゼン	diese　die	dieses　das	diese　die

定冠詞の変化と較べてみよう

1格	welcher ヴェルヒャー	welche ヴェルヒェ	welches ヴェルヒェス	welche
2格	welches ヴェルヒェス	welcher ヴェルヒャー	welches	welcher
3格	welchem ヴェルヒェム	welcher	welchem	welchen
4格	welchen ヴェルヒェン	welche	welches	welche

このような変化をする語を一括して挙げてみましょう。ただし jeder は単数形の変化しかなく，複数形の変化はありません。

dieser	jener	jeder	solcher	mancher	welcher
ディーザー	イェーナー	イェーダー	ゾルヒャー	マンヒャー	ヴェルヒャー
この	あの	どの…も	このような	かなり多くの	どの？

格語尾一覧表

	男性	女性	中性	複数
1格	-er	-e	-es	-e
2格	-es	-er	-es	-er
3格	-em	-er	-em	-en
4格	-en	-e	-es	-e

第3課に戻って §4をながめて 何かひらめいたら あなたは才能がある！

§3 不定冠詞類の格変化

ein

「冠詞類」のうち，不定冠詞に準ずる変化をするものを**不定冠詞類**と呼びますが，これらには (イ) 否定を表す**否定冠詞** kein（英：*no*）「ひとつも…ない」と (ロ) 所有を表す**所有冠詞**とがあります。所有冠詞を見てみましょう。ihr が単数にも複数にも出て来るのに注意してください。

59

mein マイン	私の	(my)		**unser** ウンザー	私たちの	(our)
dein ダイン	君の	(your)		**euer** オイアー	君たちの	(your)
sein ザイン	彼の それの	(his, its)		**ihr**	彼らの 彼女らの それらの	(their)
ihr イーア	彼女の	(her)		**Ihr** イーア	あなたの あなたたちの	(your)

(手書きメモ: 同形！／大文字！ Sie を思い出そう)

　代表例として，否定冠詞 kein と所有冠詞 mein の変化形を挙げてみましょう．定冠詞類との相違は，男性1格と中性1・4格で語尾が欠けることです．そこを△印を付けておきますので，注意してください．

	男性	女性	中性	複数
1格	kein△ カイン	keine カイネ	kein△	keine
2格	keines カイネス	keiner カイナー	keines	keiner
3格	keinem カイネム	keiner	keinem	keinen
4格	keinen カイネン	keine	kein△	keine

	男性	女性	中性	複数
1格	mein△ マイン	meine マイネ	mein△	meine
2格	meines マイネス	meiner マイナー	meines	meiner
3格	meinem マイネム	meiner	meinem	meinen
4格	meinen マイネン	meine	mein△	meine

(手書きメモ: 頭の k と m をとって第3課§5と見較べると目からうろこが落ちる)

練習問題　5　（冠詞類）

Ⅰ．次の名詞句を単数・複数共に格変化させなさい。

dieser Hund 犬
フント

seine Katze 猫
カッツェ

単数 1格 ＿＿＿＿＿＿＿＿＿＿　　＿＿＿＿＿＿＿＿＿＿
　　 2格 ＿＿＿＿＿＿＿＿＿＿　　＿＿＿＿＿＿＿＿＿＿
　　 3格 ＿＿＿＿＿＿＿＿＿＿　　＿＿＿＿＿＿＿＿＿＿
　　 4格 ＿＿＿＿＿＿＿＿＿＿　　＿＿＿＿＿＿＿＿＿＿
複数 1格 ＿＿＿＿＿＿＿＿＿＿　　＿＿＿＿＿＿＿＿＿＿
　　 2格 ＿＿＿＿＿＿＿＿＿＿　　＿＿＿＿＿＿＿＿＿＿
　　 3格 ＿＿＿＿＿＿＿＿＿＿　　＿＿＿＿＿＿＿＿＿＿
　　 4格 ＿＿＿＿＿＿＿＿＿＿　　＿＿＿＿＿＿＿＿＿＿

unser Haus 家
ハオス

welches Buch 本
ブーフ

単数 1格 ＿＿＿＿＿＿＿＿＿＿　　＿＿＿＿＿＿＿＿＿＿
　　 2格 ＿＿＿＿＿＿＿＿＿＿　　＿＿＿＿＿＿＿＿＿＿
　　 3格 ＿＿＿＿＿＿＿＿＿＿　　＿＿＿＿＿＿＿＿＿＿
　　 4格 ＿＿＿＿＿＿＿＿＿＿　　＿＿＿＿＿＿＿＿＿＿
複数 1格 ＿＿＿＿＿＿＿＿＿＿　　＿＿＿＿＿＿＿＿＿＿
　　 2格 ＿＿＿＿＿＿＿＿＿＿　　＿＿＿＿＿＿＿＿＿＿
　　 3格 ＿＿＿＿＿＿＿＿＿＿　　＿＿＿＿＿＿＿＿＿＿
　　 4格 ＿＿＿＿＿＿＿＿＿＿　　＿＿＿＿＿＿＿＿＿＿

テキスト IV — Die Fledermaus

Die Tiere[1] und die Vögel kämpfen miteinander.

Die Fledermaus geht zu den Tieren und sagt:

„Ich bin euer Freund."

Wenn aber der Kampf beginnt, verschwindet die Fledermaus gleich.

Die Fledermaus geht jetzt zu den Vögeln und sagt: „Ich bin euer Freund."

Wenn aber der Kampf wieder beginnt, flieht die Fledermaus gleich wieder.

Endlich ist der Kampf zu Ende.[2]

Da kommt die Fledermaus wieder und sagt:

„Ich bin euer Freund."

Aber die Tiere und die Vögel sagen:

„Nein, du bist nicht unser Freund."

Seitdem fliegt die Fledermaus nur bei der Dunkelheit.
ザイトデーム　フリークト　　　　　　　　　　　ヌーア　バイ
ドゥンケルハイト

　　　コウモリ

けものと鳥たちがお互いに戦っています。コウモリはけもののところに行き，言います：『私はみなさんの味方です。』しかし，戦いが始まると，コウモリはすぐに雲隠れしてしまいます。こうもりは今度は鳥たちのところに行き，言います：『私はみなさんの味方です。』
しかし，戦いが再び始まると，コウモリはまたすぐに逃げてしまいます。
やっと，戦いは終わりました。その時，コウモリが再びやって来て，言います：『私はみなさんの味方です。』しかし，けものと鳥たちは言います：『いいや，君は私たちの仲間ではない。』
それ以来，コウモリは暗くなってから飛ぶのです。

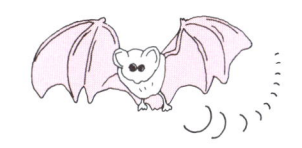

ノート

1. Tier (das)　　　ここでは狭義の「けもの」の意。
2. zu Ende　　　動詞 sein と結び，「終わっている」。

単語メモ　　（複＝複数形）

aber	しかし	Freund (der)	味方	sagen	言う
beginnen	始まる	gehen	行く	seitdem	それ以来
bei	…の時に	gleich	すぐに	Tier (das)	動物
da	その時	jetzt	今	（複 die Tiere)	
Dunkelheit (die)	暗闇	Kampf (der)	戦い	und	そして
Ende (das)	終わり	kämpfen	戦う	unser	私たちの
endlich	とうとう	kommen	来る	verschwinden	消える
euer	君たちの	miteinander	お互いと	Vogel (der)	鳥
Fledermaus (die)	コウモリ	nein	いいえ	（複 die Vögel)	
fliegen	飛ぶ	nicht	…でない	wenn	もし…ならば
fliehen	逃げる	nur	ただ	zu	…のところに

第10課 形容詞の格変化

Lektion zehn

> Sie ist ein **fleißiges** Mädchen.
> フライスィゲス　　メートヒェン
> 彼女は　です　一人の　勤勉な　　少女
>
> ［訳］彼女は勤勉な少女です。

（書き込み：形容詞はもちろん名詞の前／辞書にのっている形）

ポイント

　上例の太字の語は形容詞ですが，このままの形では辞書に載っていません。辞書には fleißig の形で載っています。形容詞も，冠詞類のように名詞の前に置かれる場合，格語尾を付けるのです。この課では，形容詞の格変化を学びます。

（書き込み：「が、の、に、を」が分かる）

§1　形容詞の格変化の3種類

　形容詞の格変化は，前に冠詞類があるか，あるならばそれが定冠詞類なのか不定冠詞類なのかによって異なり，結局3種類になりますが，それらは大部分が同じで，実際はそれ程難しくはありません。

§2　定冠詞類の場合

　まず，定冠詞類（der, dieser など）が名詞の前に置かれている場合ですが，この場合，形容詞は男性単数1格と女性・中性単数1格・4格の3か所で -e になる他は -en になり，格変化はきわめて単純です。定冠詞類が前にあれば，形容詞は -en になるのだ，ぐらいの感じで覚えてください。太字のところに注意しつつ，次の表を大きな声で何度も読んでください。

定冠詞が格をはっきりさせるので形容詞は変化が少しですむ

		男性 大きな机			中性 小さな家	
1格	der	gro**e** グローセ	Tisch ティッシュ	das	klein**e** クライネ	Haus ハオス
2格	des	gro**en** グローセン	Tisch**es** ティッシェス	des	klein**en** クライネン	Haus**es** ハオゼス
3格	dem	gro**en**	Tisch	dem	klein**en**	Haus
4格	den	gro**en**	Tisch	das	klein**e**	Haus

		女性 青い花			複数 赤い屋根	
1格	die	blau**e** ブラオエ	Blume ブルーメ	die	rot**en** ローテン	Dächer デッヒャー
2格	der	blau**en** ブラオエン	Blume	der	rot**en**	Dächer
3格	der	blau**en**	Blume	den	rot**en**	Dächer**n** デッヒャーン
4格	die	blau**e**	Blume	die	rot**en**	Dächer

§3 不定冠詞類の場合

　不定冠詞類(ein, mein など)が名詞の前に置かれている場合，定冠詞類の場合と異なるのは3か所だけです。すなわち男性単数1格で -e が -er，中性単数1格・4格で -e が -es になるだけです（定冠詞類の格変化をまずしっかり覚えることが肝心ですね）。これらの3か所では不定冠詞類は格語尾がないので，形容詞が格をしっかり示す語尾 -er/-es をとるのです。男性と中性の変化表を挙げてみましょう。

	男性			中性	
	彼の大きな机			彼の新しい家	
1格	sein△	gro**er**	Tisch	sein△	neu**es** Haus
2格	seines	gro**en**	Tisches	seines	neu**en** Hauses
3格	seinem	gro**en**	Tisch	seinem	neu**en** Haus
4格	seinen	gro**en**	Tisch	sein△	neu**es** Haus

注記:
- 1格だけ形容詞が格を示す (d-er)
- 中性 das のかわり (d-as)
- この列で格を区別し

§4 冠詞類のない場合

冠詞類が何も付いていない場合，形容詞は定冠詞類（たとえば dieser）と同一の語尾を付けます。ただし，男性・中性の2格では名詞の方にすでに2格語尾 -[e]s があるため，形容詞の格語尾は -en になることに注意してください。

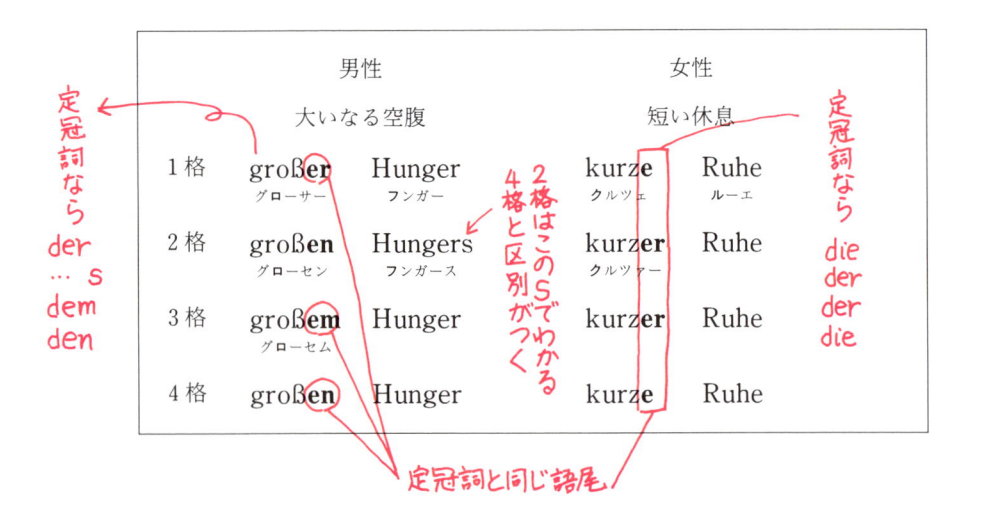

	男性		女性	
	大いなる空腹		短い休息	
1格	gro**er**	Hunger	kurz**e**	Ruhe
2格	gro**en**	Hungers	kurz**er**	Ruhe
3格	gro**em**	Hunger	kurz**er**	Ruhe
4格	gro**en**	Hunger	kurz**e**	Ruhe

注記:
- 定冠詞なら der … s / dem / den
- 定冠詞なら die / der / der / die
- 2格はこのsでわかる 4格と区別がつく
- 定冠詞と同じ語尾

66

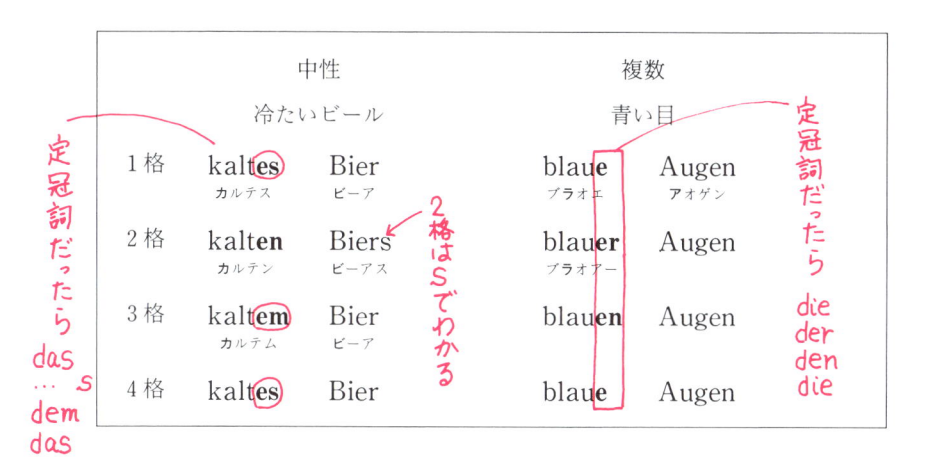

	中性		複数	
	冷たいビール		青い目	
1格	kalt**es**	Bier	blau**e**	Augen
	カルテス	ビーア	ブラオエ	アオゲン
2格	kalt**en**	Biers	blau**er**	Augen
	カルテン	ビーアス	ブラオアー	
3格	kalt**em**	Bier	blau**en**	Augen
	カルテム	ビーア		
4格	kalt**es**	Bier	blau**e**	Augen

定冠詞だったら
das …s
dem
das

2格はsでわかる

定冠詞だったら
die
der
den
die

　表ばかりで形容詞は大変だなと言う人がいますが，ここでは要するに，形容詞は名詞の前に付けて用いられる場合，格語尾が付くこと，そして実際に用いられている形容詞を辞書で引く場合，格語尾を取り除いた形で意味を調べるということをしっかり頭に入れてくれれば十分です。そのうち自然に格語尾に慣れてくるようになります。

練習問題 6 （形容詞）

次の名詞句を格変化させなさい。

	der reiche Mann ライヒェ　マン 金持の男	die neue Bluse ノイエ　ブルーゼ 新しいブラウス
単数 2格	_____	_____
3格	_____	_____
4格	_____	_____
複数 1格	_____	_____
2格	_____	_____
3格	_____	_____
4格	_____	_____

ihr großes Haus
グローセス
彼らの大きな家

単数 1格	_____	複数 1格	_____
2格	_____	2格	_____
3格	_____	3格	_____
4格	_____	4格	_____

テキスト Ⅴ —— Ein großer Hund und eine kleine Katze

Ich habe einen großen Hund und eine kleine Katze.

Der große Hund hat große Ohren.

Die kleine Katze hat hübsche Augen.

Der große Hund bellt laut.

Die kleine Katze miaut leise.

Der große Hund und die kleine Katze spielen immer zusammen.

Am Abend kommen der große Hund und die kleine Katze in mein Zimmer und schlafen lieb nebeneinander.[1]

Haben Sie auch einen Hund oder eine Katze?

大きな犬と小さな猫

私は大きな犬を一匹と小さな猫を一匹飼っています。
大きな犬は大きな耳を，小さな猫はかわいい目をしています。
大きな犬は大きな声で吠え，小さな猫は小さな声で鳴きます。
その大きな犬と小さな猫はいつもいっしょに遊んでいます。
夕方になると，大きな犬と小さな猫は私の部屋に入って来て，おとなしく寄り添って眠ります。
あなたも犬か猫を飼っていますか？

ノート

1. nebeneinander　　前置詞 neben「…の横に」と einander「お互いに」とが結合したもので，「お互いの横に」。

単語メモ　　（複＝複数形）

Abend（der）	夕方	Katze（die）	猫
am（＜an dem）	…に	klein	小さな
auch	…もまた	kommen	来る
Auge（das）	目	laut	大きな声で
（複　Augen）		leise	小さな声で
bellen	吠える	lieb	おとなしく
groß	大きい	oder	あるいは
haben	持っている	Ohr（das）	耳
hübsch	かわいい	（複　Ohren）	
Hund（der）	犬	schlafen	眠る
immer	いつも	spielen	遊ぶ

第11課 分離動詞

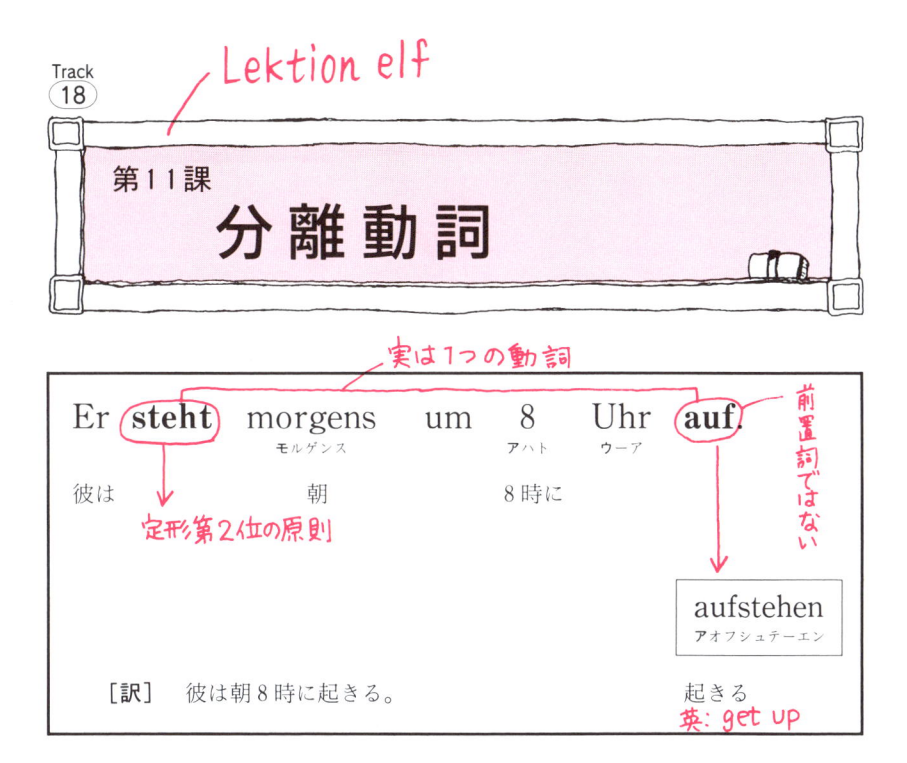

Lektion elf

> Er **steht** morgens um 8 Uhr **auf**.
> モルゲンス　　　　アハト　ウーア
> 彼は　　　　朝　　　　　8時に
>
> 実は1つの動詞
> 定形第2位の原則
> 前置詞ではない
>
> aufstehen
> アオフシュテーエン
>
> [訳] 彼は朝8時に起きる。　起きる
> 英: get up

ポイント

上例の定形は steht ですが，それを不定形に直し（→stehen），意味を辞書で調べても適当な訳語が出ていません。この steht は文末の auf と一体になって aufstehen という動詞を形作っているのです。ドイツ語にはこのように全体が2つの部分に分離する動詞があるのです。この課では，この種の動詞を学びます。

§1　分離動詞

主文の定形として用いられる場合，全体が2つの部分に分離する動詞を**分離動詞**と呼びます。分離する2つの部分のうち，定形になる部分を基礎動詞部分，分離して文末に置かれる部分を分離前つづりと呼びます。分離動詞であることを示すために，辞書などでは前つづりと基礎動詞部分との間に縦線を入れてあります。

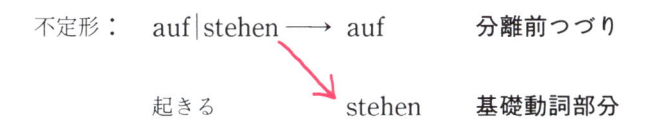

不定形：　auf|stehen　⟶　auf　　分離前つづり
　　　　　起きる　　　　　stehen　基礎動詞部分

例をもう一つ挙げてみましょう。

Er geht mit Freunden **aus**.　　彼は友人たちと外出する。

ausgehen
外出する
英：go out

分離動詞の特徴の一つとして，アクセントがかならず前つづりの上に置かれるということがあります。このこともしっかり頭に入れてください。

áufstehen　［アオフシュテーエン］　　áusgehen　［アオスゲーエン］

§2　疑問文と副文における分離動詞

上例に示したように，分離動詞は平叙文（「…だ」「…する」というような普通の文）で，基礎動詞部分が第2位，前つづりが文末に置かれます。では，疑問文や副文で分離動詞はどうなるかという疑問が出て来ると思いますが，今までに学んだことがしっかり頭に入っていれば問題はありません。

まず疑問文の場合ですが，「はい」「いいえ」というような答を要求する決定疑問文では基礎動詞部分を文頭に，前つづり部分を文末に置き，また疑問詞による補足疑問文では基礎動詞部分を第2位に，前つづり部分を文末に置けばよいのです。

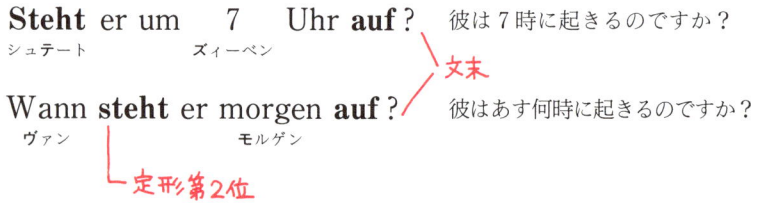

Steht er um 7 Uhr **auf**?　　彼は7時に起きるのですか？

Wann steht er morgen **auf**?　　彼はあす何時に起きるのですか？

副文の場合は，定形になる基礎動詞部分を文末に置き，そして前つづりの部分を結合させ，一語に書けばよいのです。

Er sagt, dass er morgen um 6 Uhr **aufsteht**.

彼は，あす6時に起きると言う。

§3 人称変化

次に人称変化ですが，それは分離動詞の定形になる基礎動詞部分をふつうの動詞のように人称変化させればよいのです。もしそれが不規則動詞の場合，その部分はやはり不規則に人称変化します。fahren という不規則動詞をもとにした分離動詞 abfahren を例にとり，その人称変化を示してみましょう。

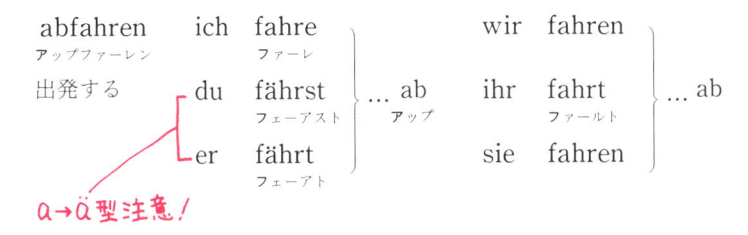

abfahren	ich fahre		wir fahren	
出発する	du fährst	... ab	ihr fahrt	... ab
	er fährt		sie fahren	

§4 非分離前つづり

動詞の前に付く前つづりがすべて分離するわけではありません。たとえば be- とか ver- というように分離しない前つづりもあります。

bestehen ［ベシュテーエン］　（試験などに）受かる

　Er besteht die Prüfung.　　　彼は試験に受かる。

verführen ［フェアフューレン］　（人を）誘惑する

　Er verführt ein Mädchen.　　彼は少女を誘惑する。

このような分離しない前つづりを**非分離前つづり**，非分離前つづりを持つ動詞を**非分離動詞**と呼びます。なお，非分離前つづりは決してアクセントを持たないということに注意してください。

練習問題 7 （分離動詞）

Ⅰ．次の語句を人称変化させなさい。

mit einem Freund ausgehen　友だちと外出する

Ich　gehe mit einem Freund aus.

Du　_____

Er　_____

Wir　_____

Ihr　_____

Sie　_____

Ⅱ．次の文を完成させ訳しなさい。

1．Wir (mitkommen) auch.

2．Er (einladen) seine Freunde zum Essen.

3．Ich (aufstehen) gewöhnlich um 6 Uhr.

4．Die Sonne (aufgehen) im Sommer früh.

5．Er (ablehnen) unsere Einladung.

単語メモ

der Freund 友人　　die Sonne 太陽　　die Einladung 招待
zum Essen 食事に　um 6 Uhr 6時に　im Sommer 夏に　mit|kommen 一緒に来る
ein|laden 招待する　auf|stehen 起きる　auf|gehen 昇る　ab|lehnen 拒否する
gewöhnlich ふつう　früh 早く

コーヒーブレイク 2

「おまえ！」と「ねえ，あなた！」

　先日，テレビを見ておりましたら，ドラマのなかで「『おまえ』『おまえ』とはなによ！」，「『おまえ』を『おまえ』と呼んで何故悪い？」「『おまえ』に『おまえ』と呼ばれる筋合いは無いわ！」「『おまえ』は『おまえ』なんだから『おまえ』なんだ！」などと夫婦が口論をしておりました。喧嘩の原因は，『おまえ』という呼称（人称代名詞）なのです。

　人称代名詞は，特にドイツ語では基礎的な概念なのですが，ドイツ語の人称代名詞と日本語のそれとを比べると次のような相違に気がつきます。

(イ)　ドイツ語の人称代名詞の用い方は「相称型」であるのに対し，日本語のは「非相称型」である：すなわちドイツ語では，du で呼ぶ人間からは同じく du で呼ばれ，Sie で呼ばれる人には同じく Sie で話しかけるのに対して，日本語では，教師が学生に「君」と呼ぶからと言って，学生が教師を「君」と呼ぶわけには原則的に許されないわけです。相互的ではないわけです。

(ロ)　日本語が"省略"する所でもドイツ語はやたらと人称代名詞を用いる：日本語での「映画に行くのか？」「イヤッ，時間がない」という問答は，ドイツ語では，„Gehst **du** ins Kino?" „Nein, **ich** habe keine Zeit." という人称代名詞のある問答になります。人称代名詞に行為の主体を明示するという機能があるとすれば，日本語において人称代名詞が「省略」されることは，日本人が自分も相手も明示せず，できるだけ非人称的，すなわち無責任的な言語生活を送っていることを意味するわけです。

(ハ)　ドイツ語と比べ，日本語の「人称代名詞」は種類が多い：ドイツ語の人称代名詞，たとえば一人称単数は，何千年もの前から ich だけであるのに対し，日本語は「おれ，わたし，ぼく」などがあります。そして，日本語の各種の人称代名詞は，単に誰が話し手または聞き手であるかを指示するだけでなく，話し手と相手を地位・身分・老若その他いろんな点で位置づけをするのです。

　冒頭の『おまえ』騒動は，この最後の点に関連してくるのであり，従って非常に日本的な夫婦喧嘩であることになります。『おまえ！』と言われるのと『ねぇ，りえ！』などと言われるのではたしかに随分差があるでしょうね。

テキスト VI — Der Maulwurf

Der Maulwurf lebt fast sein ganzes Leben lang[1] unter der Erde. Er baut viele Tunnel in der Erde. Weißt du, warum[2] er in der Erde so viele Tunnel baut?

Der Maulwurf frisst gern[3] Regenwürmer. Wenn er in der Erde Tunnel baut und dort herumläuft, durchbrechen Regenwürmer die Wände der Tunnel und kommen in die Tunnel hinein. Der Maulwurf ist sehr klug, nicht wahr[4]?

ノート

1. fast sein ganzes Leben lang　sein ganzes Leben で「彼の全人生」, lang が付いて「彼の全人生の間」, fast が「ほとんど」という意味ですので, 全体で訳のようになります。
2. Weißt du, warum...　Warum baut er in der Erde so viele Tunnel?「なぜ彼は地中にトンネルをそんなに多く作るのですか？」という疑問文を wissen の目的語にしたものです。定形の動詞は文末に置かれます。副文の語順ですね。
3. ...frisst gern...　文字どおりには「喜んで食べる」。
4. nicht wahr?　「本当じゃないですか？　本当でしょう？！」と, 相手にあいづちを求める慣用句。

もぐら

　もぐらはほとんどその一生を土の中で暮らします。もぐらは土の中にトンネルをたくさん作ります。君は，なぜもぐらが土の中にたくさんのトンネルを作るか知っていますか。
　もぐらはミミズが好物なのです。土の中にトンネルを作って，その中を歩きまわっていると，ミミズがトンネルの壁を破って中に入って来るのです。もぐらは非常に頭がいいと思いませんか。

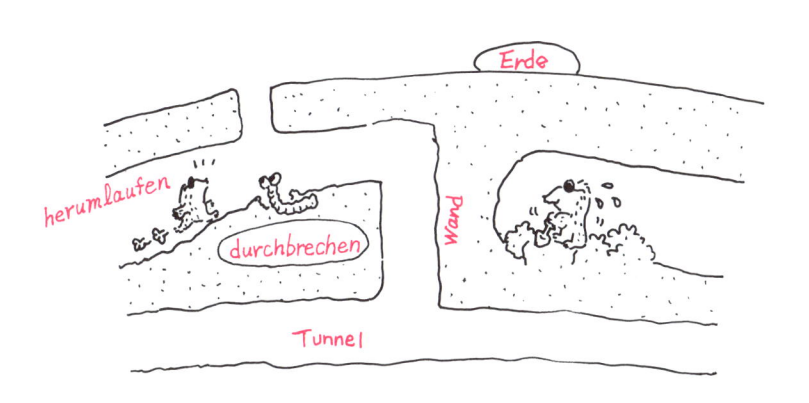

🔖 単語メモ　　（複＝複数形）

bauen	作る	Maulwurf (der)	もぐら
dort	そこに	nicht	…でない
durchbrechen	穴をあける	Regenwurm (der)	みみず
Erde (die)	土，地面	（複 Regenwürmer）	
fast	ほとんど	sehr	非常に
fressen (er frisst)	（動物が）食べる	sein	彼の
ganz	全く，全部の	Tunnel (der)	トンネル
gern	喜んで	（複 Tunnel）	
herum|laufen	(er läuft herum)	und	そして
	走り回る	viel	多くの
hinein|kommen	入って来る	wahr	本当の
in	…の中へ	Wand (die)	壁
klug	賢い	（複 Wände）	
lang	…の間	warum	なぜ
leben	暮らす，生きる	wenn	もし…ならば
Leben (das)	人生	wissen (du weißt)	知っている

第12課 話法の助動詞

Lektion zwölf

Ich	**will**	heute	meinen	Wagen	**waschen**.
	ヴィル	ホイテ	マイネン	ヴァーゲン	ヴァッシェン
私は	…したい	きょう	私の車を		洗い

（まず文の第2位で意志表示する → **will**）
（動詞でしめくくる → **waschen**）

ポイント

　上例において，定形の will の他に，もう一つの動詞 waschen が文末に置かれていますね。定形の will は「話法の助動詞」で，本動詞の waschen は文末に置かれているのです。この課では，話法の助動詞を学びます。

（ワホウとよむ）
（I will wash… と続けない）

§1　話法*の助動詞の人称変化

　話法の助動詞は，本動詞の意味にいろいろな意味合いを付加するもので，次の6つのものがあります。

dürfen	…してよい
デュルフェン	
können	…できる
ケンネン	
mögen	…かも知れない
メーゲン	
müssen	…せねばならない
ミュッセン	
sollen	…すべきである
ゾレン	
wollen	…しようと思う
ヴォレン	

＊シチュエーションによって動詞が帯びる意味合いを，むずかしくいうと話法という！「洗わねば」「洗うつもりだ」「洗うかもしれない」など．

これらの人称変化は次のようになります（単数での人称変化はどれもいろいろに不規則ですが，1人称と3人称の単数形がどれも同一であることに注意してください）。

	dürfen デュルフェン can	können ケンネン may	mögen メーゲン must	müssen ミュッセン shall	sollen ゾレン	wollen ヴォレン will
ich	**darf** ダルフ	**kann** カン	**mag** マーク	**muss** ムス	**soll** ゾル	**will** ヴィル
du	**darfst** ダルフスト	**kannst** カンスト	**magst** マークスト	**musst** ムスト	**sollst** ゾルスト	**willst** ヴィルスト
er	**darf**	**kann**	**mag**	**muss**	**soll**	**will**
wir	dürfen	können	mögen	müssen	sollen	wollen
ihr	dürft デュルフト	könnt ケント	mögt メークト	müsst ミュスト	sollt ゾルト	wollt ヴォルト
sie	dürfen	können	mögen	müssen	sollen	wollen

（1・3人称は同形）

§2　話法の助動詞を用いた文の語順

　話法の助動詞を含む文を作る場合，日本語と同じような順序で語句を並べ，最後に来る話法の助動詞を第2位に置けばよいのです。したがって定形の話法の助動詞と不定形の本動詞は，分離動詞の基礎動詞部分と前つづりのように，第2位と文末とに離れ離れになります。この関係を他の例で図示してみましょう。

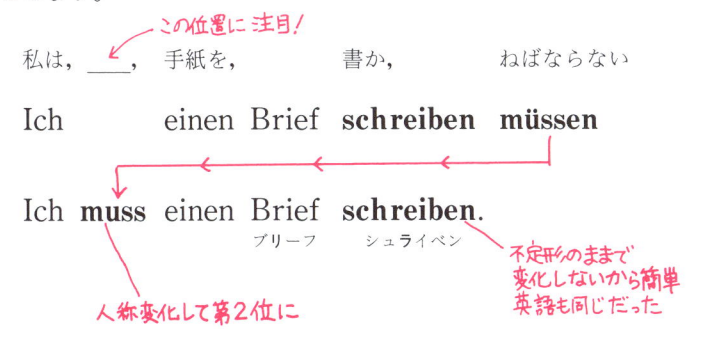

私は，　　 ，手紙を，　　　書か，　　　ねばならない

Ich　　　einen Brief　**schreiben**　**müssen**

Ich **muss** einen Brief **schreiben**.
　　　　　　　ブリーフ　　シュライベン

（この位置に注目！／人称変化して第2位に／不定形のままで変化しないから簡単　英語も同じだった）

§3 話法の助動詞と疑問文

疑問文の場合も，本質的なところは変わりません。決定疑問文では話法の助動詞を文頭に置き，本動詞を文末に置きます。また，補足疑問文では，文頭の疑問詞について，話法の助動詞を第2位に置き，本動詞を文末に置けばよいのです。

Musst du heute noch nach Frankfurt fahren ?

君はきょうまだフランクフルトに行かなければならないのですか。

Wie **kann** ich nach Frankfurt fahren ?

どのようにして私はフランクフルトに行けますか。

§4 副文中の話法の助動詞

副文中では定形の動詞は文末に置かれるのでしたね。話法の助動詞も，副文中に用いられる場合，文末に置かれます。すなわち本動詞の後ろに置かれます。

Wenn du nach Deutschland **fahren willst**, …

もしドイツに行くつもりならば，…

§5 möchte[n] 「…したい」

話法の助動詞に準ずるものとして möchte という形があります。これは欲求を丁寧に控え目に表す動詞で，日常会話ではよく用いられるものですので，しっかり覚えてください。次のように人称変化します。

ich	möchte	wir	möchten
	メヒテ		メヒテン
du	möchtest	ihr	möchtet
	メヒテスト		メヒテット
er	möchte	sie	möchten

Möchten Sie Kaffee trinken?
カッフェー　トリンケン

コーヒーをお飲みになりますか。

§6　未来時制

　未来時制も，未来の助動詞 werden と本動詞を組み合わせ，助動詞 werden を人称変化させることによって作ります。語順は，話法の助動詞の文に準じ，werden を第2位に，本動詞を文末に置きます。念のため，日本語との対応関係を図示してみましょう。(werden の人称変化は，18ページを参照してください。)

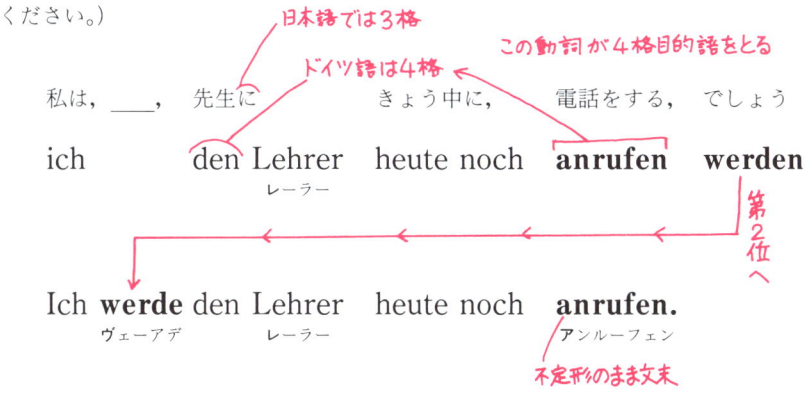

私は，　　，　先生に　　　きょう中に，　　電話をする，　でしょう

ich　　den Lehrer　heute noch　**anrufen**　**werden**
　　　　レーラー

Ich **werde** den Lehrer　heute noch　**anrufen.**
　ヴェーアデ　　レーラー　　　　　　　アンルーフェン

練習問題　8　（話法の助動詞）

次の語句を結びつけて正しい文を作り，訳しなさい。

1. Wir, nach Deutschland, fliegen, wollen
   フリーゲン

2. Er, fließend, Deutsch, sprechen, können
   フリーセント　ドイチュ　シュプレッヒェン

3. Ich, morgen, um 6 Uhr, aufstehen, müssen
   ゼックス

4. Du, sofort, nach Hause, kommen, sollen
   ゾーフォルト　　ハオゼ　　コンメン

5. Der Kranke, schon, aufstehen, dürfen
   クランケ　ショーン　アオフシュテーエン

6. Ich, Kaffee, trinken, möchte[n]
   カッフェー　トリンケン

7. Ich, heute, nach Bonn, fahren, dürfen, ?
   ホイテ　ナーハ　ファーレン

82

テキスト VII — Ein Fuchs

In einem Wald lebt ein Fuchs.

Eines Tages[1] bekommt er großen Hunger und sucht nach einem Mittagessen.

Da kommt er zu einem Weingarten und sieht dort viele Trauben. Die Trauben sehen sehr lecker aus.

Er will sie[2] essen und springt mit voller Kraft immer wieder hoch. Aber die Trauben hängen zu hoch, und er kann sie nicht erreichen.

Da sagt er: „Die Trauben müssen sauer sein."

Mit diesen Worten[3] geht der Fuchs wieder weg.

ノート

1. Eines Tages　　この2格は副詞的に用いられているもので,「ある日」の意。
2. sie　　die Trauben を指し,複数の4格です。
3. Mit diesen Worten　　「この言葉で,この言葉を残して」。「単語」ではなく,「言葉」の意味で用いられる場合, Wort の複数形は Worte です。

　　　　狐

　ある森に狐が一匹おります。ある日その狐は非常な空腹に襲われ，昼ごはんを探します。その時，狐はぶどう畑にたどり着き，そこにたくさんのぶどうを見ます。ぶどうはとてもおいしそうに見えます。狐はそれらを食べようとして，力一杯，繰り返し高く飛びはねます。しかしぶどうは高いところにあり過ぎて，とることができません。そこで狐は言います：『このぶどうはすっぱいに違いない。』こう言いながら，狐は去って行きます。

単語メモ

aber	しかし	nach	…を求めて
aus|sehen	…のように見える	nicht	…でない
bekommen	得る	sagen	言う
da	その時に	sauer	すっぱい
dort	そこに	sehen（er sieht）	見る
erreichen	届く	sehr	非常に
essen	食べる	springen	跳ぶ
Fuchs（der）	狐	suchen	探す
groß	大きい	Tag	日
hängen	ぶら下がっている	Traube（die）	ぶどう
hoch	高い	（複　Trauben）	
Hunger（der）	空腹	und	そして
immer	《wiederと共に》繰り返し	viel	多くの
in	…の中に	voll	いっぱいの
kommen	来る	wieder	再び
können（er kann）	…できる	wollen（er will）	…したがる
Kraft（die）	力	Wald（der）	森
leben	暮らす	weg|gehen	立ち去る
lecker	おいしそう	Weingarten（der）	ぶどう畑
Mittagessen（das）	昼ごはん	zu	…に/…し過ぎる
müssen	…にちがいない		

第13課 人称代名詞と再帰代名詞

Lektion dreizehn

> a. Hans betrachtet **ihn**.
> ベトラハテット　イーン
>
> — erの4格
> Hansと彼は別人
>
> ハンスは彼を観察する。
>
> b. Hans betrachtet **sich** im Spiegel.
> ズィヒ　　　シュピーゲル
>
> — 主語Hans自身が目的語になる
>
> ハンスは自分の姿を鏡で見る。

ポイント

　上例の a. は，ハンスが他の人を観察しているのに対し，b. は，ハンスが自分自身のことを観察しているわけです。主語の人物が自分自身に対して何かをすることを表す場合，人称代名詞ではなく，再帰代名詞と言われるものを使います。この課では，人称代名詞と再帰代名詞を学びます。

§1　3格と4格の人称代名詞

　まず人称代名詞ですが，第1課で学んだ1格の形と3格と4格の形を次のページに挙げます。2格の形もあるのですが，これは現在ではほとんど用いられなくなっているので省きます。
　では，「わたしの…」とか「君の…」と言う場合にはどうするのかということですが，これには第9課で学んだ mein とか dein とかいうような冠詞類を用いればよいですね。「そうか！」と思う人はもう一度そのところを見直してください。なお，2人称敬称は3格・4格でも頭文字を大書することに注意してください。

	1人称	2人称		3人称		
		親称	敬称			
1格 …が	ich 私	du 君	Sie あなた	er 彼	sie 彼女	es それ
3格 …に	**mir** ミーア	**dir** ディーア	**Ihnen** イーネン	**ihm** イーム	**ihr** イーア	**ihm** イーム
4格 …を	**mich** ミヒ	**dich** ディヒ	**Sie** ズィー	**ihn** イーン	**sie** ズィー	**es** エス
1格 …が	wir 私たち	ihr 君たち	Sie あなたがた	sie 彼[女]ら、それら		
3格 …に	**uns** ウンス	**euch** オイヒ	**Ihnen** イーネン	**ihnen** イーネン		
4格 …を	**uns**	**euch**	**Sie** ズィー	**sie** ズィー		

（Ihnen に「大文字」の書き込み）

　人称代名詞の用法で特に注意してほしいのが3人称です。3人称の人称代名詞は人を表すだけでなく、それぞれ男性名詞、女性名詞、中性名詞の代用形としても用いられるのです。次の文の er は男性名詞 Schnaps を、そして sie は女性名詞 Milch を受けているのです。

Ich suche den **Schnaps**.
ズーヘ　　　シュナップス

私は焼ちゅうを探しています。

（書き込み：「火酒」といって強い、うまい、安い）

Da ist **er**.
ダー

あそこにあります。

Die **Milch** ist sauer.
ミルヒ　　　ザオアー

ミルクはすっぱくなっています。

Ich trinke **sie** nicht.
トリンケ

私はそれを飲みません。

（書き込み：「彼女」を飲んではいけない）

§ 2 再帰代名詞

再帰代名詞は，主語と同一のものを指す代名詞のことなのですが，形は次表に示すとおり，3人称と2人称敬称のみが sich という特別な形を取るほかは人称代名詞とまったく同じです。

	1人称		2人称			3人称
			親称		敬称	
	単数	複数	単数	複数	単数・複数	単数・複数
3格	mir	uns	dir	euch	sich	sich
4格	mich	uns	dich	euch	sich	sich

具体的な使われ方ですが，動詞 waschen「洗う」を例に，各人称の再帰表現を挙げてみましょう。次のようになります。

Ich   wasche   mich.   私は
Du   wäschst   dich.   君は
Er   wäscht   sich.   彼は
Wir   waschen   uns.   私達は
Ihr   wascht   euch.   君達は
Sie   waschen   sich.   彼らは

｝体を洗う。

「私が私を洗う」とか「君は君を洗う」と言えば，かならず自分の身体を洗うことになりますね。このように，1人称と2人称では人称代名詞を用いても誤解の生じる可能性がないので，特別な再帰代名詞が必要ないのです。

§3 再帰動詞

動詞の中には，再帰代名詞とのみ結びつき，一つのまとまった意味を表すものがあります。たとえば，entschließen という動詞はかならず再帰代名詞と結びつき，「決心する」という意味を表します。

Er **entschließt sich** zum Umzug.
　エントシュリースト　　　　ツム　ウムツーク

彼は引越の決心をする。

（手書き注：形は2語だが意味はひとつ「決心する」／動詞のすぐあとに）

これらは**再帰動詞**と呼ばれ，辞書ではたとえば 再 のように表記され，また再帰代名詞は sich によって代表させます。よく用いられる再帰動詞をいくつか挙げてみましょう。

---

sich erkälten
　エアケルテン
風邪を引く

Er **erkältet sich** oft im Winter.
　エアケルテット　　オフト　ヴィンター

彼は冬よく風邪を引く。

sich freuen
　フロイエン
楽しみにする

Er **freut sich** auf die Ferien.
　フロイト　　アオフ　フェーリエン

彼は休暇を楽しみにしている。

sich setzen
　ゼッツェン
腰を掛ける

Er **setzt sich** auf einen Stuhl.
　ゼッツト　　　　　　シュトゥール

彼は椅子[の上]に座る。

---

§4 相互代名詞

最後になりますが，主語が複数の人を表す場合，再帰代名詞は，「お互いに…」という相互的意味でも用いられることに触れておきましょう。

Die Brüder **schlagen sich** dauernd.
　ブリューダー　シュラーゲン　　ダオエルント

（手書き注：殴りあう／絶えず、いつも）

その兄弟たちはいつも殴り合いばかりしている。

練習問題 9 （再帰代名詞）

Ⅰ．下線部に適当な再帰代名詞を入れなさい。

不定形 rasieren そる（sich rasieren* ひげをそる）
ラズィーレン

Ich rasiere _____.　　　　Wir rasieren _____.
　　　ラズィーレ

Du rasierst _____.　　　　Ihr rasiert _____.
　　　ラズィーアスト

Er rasiert _____.　　　　Sie rasieren _____.
　　　ラズィーアト

Ⅱ．下線部に適当な再帰代名詞を入れ，訳しなさい。

1．Ich ärgere _____（4格）　über ihn.
　　　　エルゲレ　　　　　　　　　ユーバー

2．Wir setzen _____（4格）　auf den Stuhl.
　　　　ゼッツェン　　　　　　　　　　　　シュトゥール

3．Der Zucker löst _____（4格）　im Wasser auf.
　　　ツッカー　レースト　　　　　　　　ヴァッサー

4．Er kämmt _____（3格）　das Haar.
　　　　ケンムト　　　　　　　　　ハール

5．Ihr denkt immer an _____（4格）.
　　　デンクト　インマー

単語メモ

sich über ... ärgern* …について怒る　　　sich auf ... setzen …の上に座る
sich auflösen 溶ける　　　sich（3格）das Haar kämmen 自分の髪をとかす
an ... denken …のことを考える　der Stuhl 椅子　der Zucker 砂糖　das Wasser 水
das Haar 髪

＊ドイツ語では語句のつながりを示す場合，動詞を末尾に置いた句の形を用います。

テキスト VIII — Ein Spiegel

In einem Restaurant hängt ein großer Spiegel. Alle[1] Gäste sehen in den Spiegel und betrachten sich darin. Sie wollen alle[1] wissen, wie sie aussehen[2]. Der Spiegel sagt kein Wort, aber er kann ihre Gedanken lesen. Er ärgert sich immer:

„Die Menschen irren sich alle. Die einen[3] glauben, dass sie schön sind. Dabei sind sie meistens hässlich. Die anderen[3] glauben, dass sie hässlich sind. Dabei sind sie meistens schön. Nur wenige Menschen sehen sich richtig."

Finden Sie sich in einem Spiegel schön oder hässlich ?

ノート

1. alle　名詞の前に置かれた alle は形容詞として名詞を修飾しているものです。文中の alle は主語に対して同格的に用いられたものです。副詞の一種と考えるとよいでしょう。
2. wie sie aussehen　Wie sehen sie aus?「彼らはどのように見えますか？」を wissen の目的語としたものです。定形の動詞は文末。
3. Die einen... Die anderen...　「一方の人は…他方の人は…」。後ろに Menschen を補って考えてください。ein[en] は形容詞として用いられています。

鏡

　あるレストランに一つの大きな鏡が掛かっています。お客さんはみんなその鏡をのぞき込み，自分の姿をながめます。彼らはみな自分がどう見えるかを知りたいのです。鏡は何も言いませんが，人の考えを読むことが出来るのです。

彼はいつも腹を立てています：『人間はみんな間違っている。ある人は自分のことを美しいと思うが，そのような時は大抵，彼らは醜い。他の人は自分のことを醜いと思うが，そのような時は大抵，彼らは美しい。ほんの少しの人だけしか正しく自分の姿を見ない。』

みなさんは鏡の中のご自分を美しいと思いますか，それとも醜いと思いますか？

単語メモ　　（複＝複数形）

aber	しかし	können	…できる
all	すべての	(er kann)	
ärgern《sich と》	怒る	lesen	読む
aussehen	…のように見える	meistens	大抵
betrachten	観察する	Mensch (der)	人間
dabei	その際	(複 Menschen)	
darin	その中で	nur	ただ…
dass	…と	oder	あるいは
finden	…と思う	Restaurant (das)	レストラン
Gast (der)	客	richtig	正しく
(複 Gäste)		sagen	言う
Gedanke (der)	考え	schön	美しい
(複 Gedanken)		sehen	見る
glauben	…と考える	Spiegel (der)	鏡
hängen	かかっている	und	そして
hässlich	醜い	wie	どのように
immer	いつも	wissen	知る
irren《sich と》	間違える	wollen	…したい
kein	どの…もない	Wort (das)	語

第14課 命令形

Lektion vierzehn

> **Komm** herein und wärme dich !
> コム　　ヘライン　　　　ヴェルメ　ディヒ　　　←感嘆符がつく
>
> 入って来て，体を暖めなさい！

✳ ポイント

上例の最初の動詞 komm は人称語尾が付いていませんね。また次の動詞 wärm-e は人称語尾が付いていても主語が見あたりません。これらは相手に対する命令を表現する動詞の形，すなわち命令形なのです。この課では，命令形を学びます。

（komm·en／wärm·en／命令する相手は分かっている）

§1　命令形

まず，命令形の作り方ですが，ふだん du や ihr で話す親しい間柄の相手に対して命令形を使う場合，不定形の語幹に -e ないし -[e]t を付けた形を用います。

	du に対する場合	ihr に対する場合
lernen　学ぶ レルネン	lern-e !　学べ ! レルネ	lern-t ! レルント
warten　待つ ヴァルテン	wart-e !　待て ! ヴァルテ	wart-et ! ヴァルテット

（語幹）

ihr に対する命令形は ihr の現在人称変化形と同一になることに注意してください。

§2 du に対する命令形のバリエーション

　§1の規則が大原則ですが，du に対する命令形についていくつか細則があります。

　まず第1に，e の落ちることがあるのです。特に不規則動詞（たとえば gehen, kommen など）はふつう e を省いて命令形を作ります。

　　Geh schnell nach Hause !　　早く家に帰りなさい！
　　　ゲー　　シュネル　　ハオゼ

（e を省く）

　第2に，現在人称変化単数2人称・3人称で幹母音 e を i/ie に変える不規則動詞の場合なのですが，これらは du に対する命令形も，幹母音を i/ie に変えて作るのです。また，語尾 e も省きます。

essen	食べる	→	**iss** !	(du isst)
エッセン			イス	イスト
sprechen	話す	→	**sprich** !	(du sprichst)
シュプレッヒェン			シュプリヒ	シュプリヒスト

（ここだけ使う）

　なお，ihr に対する命令形は常に規則的につくられます。

§3 Sie に対する命令形

　以上は，親しい間柄の相手に対して用いる命令形ですが，それほど親しくなく，ふつう Sie を用いて話しかける人に対する場合は，疑問文と同一の形式を用います。ただし，イントネーションは命令口調で，下降的です。また，クエスチョンマークの代わりに感嘆符 "!" をつけます。

　　Lernen Sie fleißig Deutsch ?
　　　　　　　フライスィヒ　ドイチュ

　あなたは真面目にドイツ語を学んでいますか。

　　Lernen Sie fleißig Deutsch !

　真面目にドイツ語を学びなさい！

第15課 過去形

Lektion fünfzehn

a. Er **spielt** heute Tennis.
   シュピールト
   （現在形／きょう）

   彼はきょうテニスをする。

b. Er **spielte** gestern Tennis.
   シュピールテ　ゲスターン
   （過去形／きのう）

   彼はきのうテニスをした。

✴ ポイント

上例の a. 文は現在形，b. 文は過去形ですが，a. 文では語尾が -t であるのに対して，b. 文では語尾が -te になっています。この課では，過去形の作り方を学びます。

§1 規則的な作り方

大部分の動詞は，上例の spielen のように，語幹に -te を付けて，過去形を作ります。さらにいくつか例を挙げてみましょう。

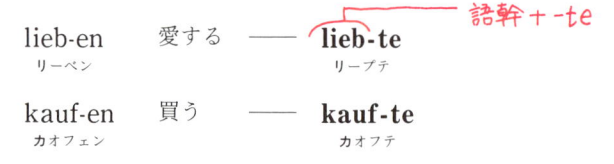

lieb-en	愛する	——	**lieb-te**	語幹＋-te
リーベン			リープテ	
kauf-en	買う	——	**kauf-te**	
カオフェン			カオフテ	

ただし，語幹が -d, -t などで終わる動詞は，口調上の e を挿入した -ete を付けて作ります。

wart-en	待つ	——	**wart-ete**	この方が発音しやすい
ヴァルテン			ヴァルテテ	
red-en	語る	——	**red-ete**	
レーデン			レーデテ	

§2　不規則な作り方

　過去形の作り方にも例外があります。一部の動詞は幹母音を変化させたりして過去形を作ります。この種の動詞は少数ですが，すべてが重要動詞です。ここではそれらのいくつかを挙げるにとどめますが，ぜひ巻末の「不規則動詞変化表」の動詞をすべてしっかり覚えてください。

↳ 次の16課を読んでから！

gehen ゲーエン	行く	—	ging ギング
kommen コンメン	来る	—	kam カーム
rufen ルーフェン	呼ぶ	—	rief リーフ
sitzen ズィッツェン	座っている	—	saß ザース
denken デンケン	考える	—	dachte ダハテ
wissen ヴィッセン	知っている	—	wusste ヴステ
sein ザイン	…である	—	war ヴァール
haben ハーベン	持っている	—	hatte ハッテ
werden ヴェーアデン	…になる	—	wurde ヴルデ

身近な動詞は要注意！

§3　前つづりを持つ動詞の過去形

　前つづりを持つ動詞の場合，前つづりが分離するものか分離しないものかにかかわらず，基礎動詞部分を過去形にして作ります。

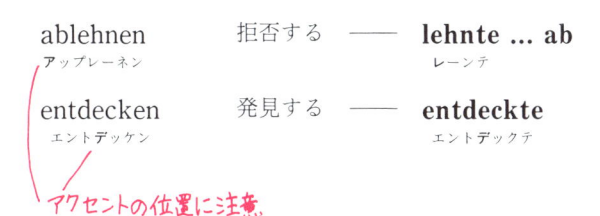

| ablehnen アップレーネン | 拒否する | — | lehnte … ab レーンテ |
| entdecken エントデッケン | 発見する | — | entdeckte エントデックテ |

アクセントの位置に注意

abfahren アップファーレン	出発する	—	**fuhr ... ab** フーア
entkommen エントコンメン	逃げる	—	**entkam** エントカーム

§4 過去人称変化

過去形も，現在形と同じように人称変化をします。過去人称変化は，§1，§2で覚えた形に次のような人称語尾を付けて行います。現在形の場合とは1人称・3人称単数においてのみ異なっていることに注意してください。

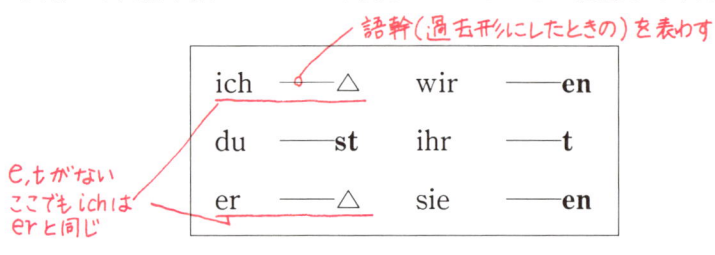

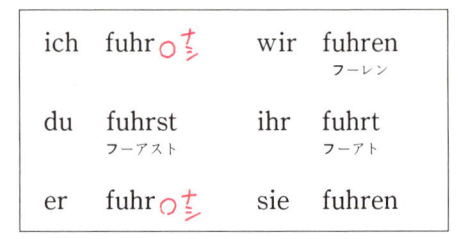

語幹(過去形にしたときの)を表わす

ich	—△	wir	—**en**
du	—**st**	ihr	—**t**
er	—△	sie	—**en**

e, t がない
ここでも ich は er と同じ

fahren[乗物で]⇒ **fuhr**
ファーレン 行く　フーア

ich	fuhr	wir	fuhren フーレン
du	fuhrst フーアスト	ihr	fuhrt フーアト
er	fuhr	sie	fuhren

また，過去形を -te で作るものには，複数の1人称・3人称において -e を省き，次のように変化します。

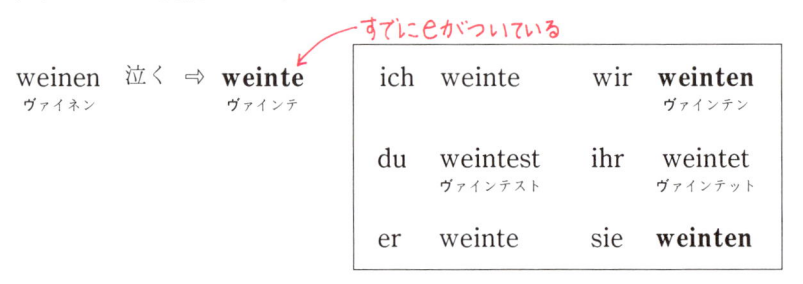

すでに e がついている

weinen 泣く ⇒ **weinte**
ヴァイネン　　　ヴァインテ

ich	weinte	wir	**weinten** ヴァインテン
du	weintest ヴァインテスト	ihr	weintet ヴァインテット
er	weinte	sie	**weinten**

練習問題 10 （過去形）

Ⅰ．次の動詞は規則動詞です。過去形を書きなさい。

不定形	過去形（3人称単数）
kochen コッヘン	_____
lachen ラッヘン	_____

Ⅱ．次の動詞を過去人称変化させなさい。

不定形：trinken 飲む
　　　　トリンケン
過去形：trank
　　　　トランク

ich	_____	wir	_____
du	_____	ihr	_____
er	_____	sie	_____

不定形：essen 食べる
　　　　エッセン
過去形：aß
　　　　アース

ich	_____	wir	_____
du	_____	ihr	_____
er	_____	sie	_____

不定形：warten 待つ
　　　　ヴァルテン
過去形：wartete
　　　　ヴァルテテ

ich	_____	wir	_____
du	_____	ihr	_____
er	_____	sie	_____

Ⅲ．次の文を過去形にし，訳しなさい。

1．Er tanzt mit einem Mädchen.
　　　　タンツト　　　　　　メートヒェン

2．Er steht um 6 Uhr auf.
　　　シュテート　　ゼックス

3．Seine Eltern spielen Tennis.
　　ザイネ　エルターン

単語メモ

das Mädchen 少女　　die Eltern （複数形）両親　　um 6 Uhr 6時に　　tanzen 踊る

auf|stehen （過 stand ... auf）起きる　　Tennis spielen テニスをする

テキスト IX — Vergissmeinnicht

Rudolf, ein Ritter[1] im mittelalterlichen Deutschland, liebte ein hübsches Mädchen. Das Mädchen hieß Bertha. Einmal machten Rudolf und Bertha an der Donau entlang einen Spaziergang. Da fand Bertha am steilen Ufer eine hübsche, blaue Blume. Sie wollte die Blume gern haben. Rudolf ging hinunter und griff nach der Blume. Aber er rutschte aus und stürzte in den Fluss. Weil die Strömung sehr stark war, konnte er nicht mehr ans Ufer zurückschwimmen. Er warf Bertha die Blume zu und rief: „Vergiss mein[2] nicht!" ... Die Strömung riss ihn mit.

Seitdem nennt man diese Blume Vergissmeinnicht.

ノート

1. ein Ritter... 前に置かれた Rudolf に対する同格表現です。
2. mein 人称代名詞 ich の 2 格形 meiner の古形です。

忘れな草

　中世のドイツの騎士であったルドルフは，一人のかわいい少女を愛しておりました。その少女はベルタという名前でした。ある時，ルドルフとベルタはドナウ河にそって散歩をしました。その時，ベルタはけわしい岸辺に一輪のかれんな，青い花を見つけました。彼女はその花をほしがりました。ルドルフは岸辺を下りてゆき，その花をつもうと，手を伸ばしました。しかし彼は足をすべらし，川にころげ落ちてしまいました。流れは非常に強かったために，彼は岸辺に泳ぎ帰ることができませんでした。彼はその花をベルタに向かって投げ，叫びました：『ぼくのことを忘れないで！』…流れは彼をのみ込んで行ってしまいました。

　それ以来，人はその花を「忘れな草」と呼ぶのです。

単語メモ　（過＝過去形）

aus|rutschen	すべる	mittelalterlich	中世の
blau	青色の	lieben	愛する
Blume (die)	花	nennen	…と呼ぶ
Deutschland	ドイツ	Ritter (der)	騎士
Donau (die)	ドナウ川	rufen (過 rief)	呼ぶ
einmal	かつて	seitdem	それ以来
entlang《an と共に》	…に沿って	Spaziergang (der)	散歩
finden (過 fand)	見つける	stark	強い
Fluss (der)	川	steil	急な
gern	喜んで	Strömung (die)	流れ
greifen (過 griff)	つかむ	stürzen	落ちる
heißen (過 hieß)	…という名前である	Ufer (das)	岸
hinuntergehen (過 ging...hinunter)	降りて行く	vergessen (命令形 vergiss)	忘れる
hübsch	美しい	Vergissmeinnicht	忘れな草
können (過 konnte)	…できる	weil	…のため
machen	…をする	wollen	…しようとする
Mädchen (das)	少女	zurück|schwimmen	泳いで戻る
mehr《nicht と共に》	もはや…でない	zu|werfen (過 warf...zu)	投げつける
mit|reißen (過 riss...mit)	引き裂く		

Track 27

Lektion sechzehn

第16課 過去分詞の作り方（三要形）

	不定形		過去形	過去分詞
規則的			語幹+-te	語幹
	kochen コッヘン	料理する	kochte コホテ	**ge**kocht ゲコホト
不規則的				
	gehen ゲーエン	行く	ging ギング	**ge**gangen ゲガンゲン

✄ ポイント

　次の課で完了形を，そしてその次の課で受動形を説明しますが，そのためにぜひ知っておかねばならないのが過去分詞の作り方です。この課では，過去分詞の作り方を学びます。なお，すでに習った過去形も挙げておきます。不定形と過去形と過去分詞を3つの重要な形という意味で**三要形**（あるいは三基本形）と呼びます。

→ 英: go, went, gone に当たる

§1　規則的な過去分詞

　過去形を規則的に作る動詞は，過去分詞も規則的に作りますが，その作り方は，<u>語幹の前に ge- を付け，語幹の後ろに -t を付ける</u>のです。全体として「ge- ＋ 語幹 ＋ -t」になります。大部分の動詞がこのようにして過去分詞を作りますので，この公式をしっかり頭に入れてください。上例の kochen 以外に，もう2, 3例を挙げてみましょう。なお，過去形で口調上の e を挿入する動詞は，過去分詞でも e を挿入します。

　　―en　　　　　　　　　　　―te　　　　　　　　　ge―t
　lernen　習う　　　　　　　lernte　　　　　　　　gelernt
　レルネン　　　　　　　　　レルンテ　　　　　　　ゲレルント

　warten　待つ　　　　　　　wartete　　　　　　　gewartet
　ヴァルテン　　　　　　　　ヴァルテテ　　　　　　ゲヴァルテット

100

§ 2　不規則な過去分詞

過去形を不規則に作る動詞は，過去分詞も不規則に作ります。重要な動詞ですので，時間をかけてもしっかり覚えてください。fahren, fuhr, gefahren とリズムをとって覚えるとよいと思います。

fahren ファーレン	［乗物で］行く	**fuhr** フーア	**gefahren** ゲファーレン
kommen コンメン	来る	**kam** カーム	**gekommen** ゲコンメン
denken デンケン	考える	**dachte** ダハテ	**gedacht** ゲダハト
sein ザイン	…である	**war** ヴァール	**gewesen** ゲヴェーゼン
haben ハーベン	持っている	**hatte** ハッテ	**gehabt** ゲハープト
werden ヴェーアデン	…になる	**wurde** ヴルデ	**geworden** ゲヴォルデン

なお -ieren で終わる外来語の動詞は ge- を付けずに過去分詞を作ります。

diskutieren ディスクティーレン	議論する	**diskutierte** ディスクティーアテ	**diskutiert** ディスクティーアト （geがない）
studieren シュトゥディーレン	勉強する	**studierte** シュトゥディーアテ	**studiert** シュトゥディーアト

§ 3　前つづりを持つ動詞の過去分詞

分離前つづりを持つ動詞の過去分詞は，基礎動詞の過去分詞の前に前つづりを付けて作り，分離しない前つづりを持つ動詞の過去分詞は，基礎動詞の過去分詞から ge- を取り除いたものに前つづりを付けて作ります。

ab|**fahren** アップファーレン	出発する	**fuhr** ... **ab** フーア　アップ	**ab**|**gefahren** アップゲファーレン
ver|**führen** フェアフューレン	誘惑する	**ver**|**führte** フェアフューアテ	**ver**|**führt** フェアフューアト （ge-führt にしない）

練習問題 11 （三要形）

I．次の動詞は規則動詞です。三要形を書きなさい。

不定形		過去形 （3人称単数）	過去分詞
arbeiten アルバイテン	働く	_____	_____
lachen ラッヘン	笑う	_____	_____
sagen ザーゲン	言う	_____	_____
tanzen タンツェン	踊る	_____	_____
weinen ヴァイネン	泣く	_____	_____

II．次の動詞は不規則動詞です。巻末の不規則動詞変化表を参照しつつ，三要形を書きなさい。

不定形		過去形 （3人称単数）	過去分詞
gehen ゲーエン	行く	_____	_____
kommen コンメン	来る	_____	_____
fahren ファーレン	［乗物で］行く	_____	_____
essen エッセン	食べる	_____	_____
trinken トリンケン	飲む	_____	_____
lesen レーゼン	読む	_____	_____
sehen ゼーエン	見る	_____	_____
sprechen シュプレッヒェン	話す	_____	_____

第17課 完了時制

Lektion siebzehn

Gestern **habe** ich ihn **angerufen***.

昨日　　　　　私は　彼に　電話をかけた。

* angerufen = anrufen [アンルーフェン]「電話をかける」の過去分詞

（手書き注: habe → 第2位／angerufen → 過去分詞・文末／アクセントが頭 → 分離動詞 → ge がつく）

ポイント

上例で，haben が第2位に，anrufen の過去分詞が文末にそれぞれ離れ離れに置かれていますが，これら2つの部分は一緒になって完了形を作っているのです。この課では，完了形の作り方を学びます。

§1　完了形の作り方

上の例の完了形は過去分詞と haben との組み合せですが，完了形を作る助動詞にはさらに sein があります。過去分詞と haben/sein の組み合せは完了形を作る上で基礎になるもので，しっかり頭に入れてください。このような組み合せを**完了不定詞**と呼びます。

（手書き注: 辞書には 完了haben 完了sein と出ている）

tanzen	踊る	⇒	**getanzt haben**	踊った
abfahren	出発する	⇒	**abgefahren sein**	出発した

§2　完了文の作り方

完了文は，完了不定詞をもとにして作りますが，助動詞 haben/sein（の定

形）は第2位に，過去分詞は文末に置きます。日本語と対比させながら，完了文の作り方を見てみましょう。

---

angerufen haben　　電話をかけた

　　昨日　　　　　　私は　　彼に　　電話をかけ　　　た。
　　Gestern　　___　ich　　ihn　　**angerufen**　　**haben**

　　Gestern　　**habe**　ich　　ihn　　**angerufen.**
　　ゲスターン　　　　　　　　　　　　　アンゲルーフェン

---

abgefahren sein　　出発した

　　私達の列車は　　　　定刻に　　　出発し　　　　た。
　　Unser Zug　　___　　pünktlich　**abgefahren**　**sein**

　　Unser Zug　　**ist**　pünktlich　**abgefahren.**
　　ウンザー　ツーク　　　ピュンクトリヒ　アップゲファーレン

　日本語では末尾に置かれる動詞的要素「…した」の最後の部分「た」を第2位に持って行き，他の部分「…し」を文末に残す点では，完了形の場合も，話法の助動詞の場合も，分離動詞の場合も同じですね。これを一覧表にしてみましょう。

定形第2位

	文末に残る部分	第2位に置かれる部分
分離動詞	前つづり　ab-	基礎動詞部分　-fahren
話法の助動詞	本動詞　　fahren	話法の助動詞　wollen
完了形	過去分詞　abgefahren	完了の助動詞　sein

§3 疑問文と副文における完了文

　話法の助動詞のところで学んだことがしっかり頭に入っていれば，問題なく，完了形の疑問文や副文は作ることができます。完了の助動詞 haben/sein は，疑問文の場合，文頭（決定疑問文）あるいは第2位（補足疑問文）に，副文の場合は文末に置けばよいのです。具体例を挙げてみましょう。

Hast du ihn schon **besucht**？
ハスト　　　　　　ショーン　ベズーフト
（文頭）

君は彼をすでに訪ねましたか。

Wann **hast** du ihn **besucht**？
ヴァン　　　　　　　　　　　　　
（第2位）

いつ君は彼を訪ねたのですか。

Ich weiß, dass du sie **geküsst hast**.
ヴァイス　ダス　　　　　ゲキュスト
（コンマ）（副文）（文末）

私は，君が彼女にキスしたことを知っています。

§4　sein によって完了形を作る動詞　→ 少数派

　完了形を作る助動詞に haben と sein の2種類があると述べましたが，どのように区別するのかという疑問が残っていますね。大部分の動詞は haben によって完了形を作るのです。したがってどの動詞が haben によって完了形を作るのかを覚えるより，どの自動詞が sein によって完了形を作るのかを覚える方が合理的だということになりますね。sein によって完了形を作る自動詞は，次のものです。

(イ)　場所の移動を表す動詞　→ 方向性がある動詞

　　　gehen　行く　　　　　　kommen　来る
　　　ゲーエン　　　　　　　　コンメン

　　　steigen　上る　　　　　fallen　落ちる
　　　シュタイゲン　　　　　　ファレン

　これらは，「行く・来る」はもちろんのこと，「上る」も「落ちる」も場所の移動を表していますね。「行く・来る」に準ずるものは sein で完了形を作ると覚えてください。

105

(ロ) 状態変化を表す動詞 → ある状態に向かう方向性がある動詞

werden	…になる	sterben	死ぬ
ヴェーアデン		シュテルベン	
aufwachen	目ざめる	verblühen	枯れる
アオフヴァッヘン		フェアブリューエン	

これらは「…になる」が中心的です。「死ぬ」も「目覚める」も，要するに「死んだ」状態，「目覚めた」状態になることを表していますね。「…になる」に準ずるものは sein で完了形を作ると覚えてください。

(ハ) その他，例外的なもの

| sein | …である | begegnen | 出会う |
| | | ベゲーグネン | |

実例を挙げてみましょう。

4格支配・方向性

ひとまとまり
Die Kinder **sind** in die Stadt **gefahren**.
　キンダー　　第2位　　　　シュタット　ゲファーレン

子供は町へ行った。

Er **ist** von dem Lärm **aufgewacht**.
　　　　　　　レルム　　アオフゲヴァハト

彼は騒音で目がさめた。

Ich **bin** ihm heute auf der Straße **begegnet**.
　　　　イーム　　　　　　シュトラーセ　ベゲーグネット

私は彼にきょう通りで出会いました。

§5　完了時制の人称変化

　完了文の作り方を学んだところで，現在完了の人称変化を，そしてついでと言ってはなんですが，過去完了の人称変化を表にして挙げてみましょう。もう例文から察しがつくと思いますが，haben および sein をそれぞれ現在形・過去形それぞれに人称変化させればよいのです。

現在完了時制

ich habe		wir haben
du hast	... getrunken	ihr habt ... getrunken
er hat	ゲトゥルンケン	sie haben

ich bin		wir sind
du bist	... abgefahren	ihr seid ... abgefahren
er ist	アップゲファーレン	sie sind

過去完了時制

ich hatte		wir hatten
du hattest	... getrunken	ihr hattet ... getrunken
er hatte		sie hatten

1・3人称は同じ

ich war		wir waren
du warst	... abgefahren	ihr wart ... abgefahren
er war		sie waren

§6　用法

　最後に，ドイツ語の完了文の用法です。ドイツ語の完了文の特徴は，冒頭の文のように，過去の時を表す副詞（たとえば gestern）も用いることができることです。念のため，もう一例挙げておきましょう。

Er ist gestern nach Deutschland geflogen.
　　　　　　　　　　　　ドイチュラント　　ゲフローゲン

彼はきのうドイツへ（飛行機で）行きました。

　また，現在完了文は過去の出来事を述べるのに用いられるのですが，そうすると，過去形との違いが問題になりますね。両者の相違は大ざっぱに，過去の出来事を述べる場合，日常会話では現在完了形を，物語や日記では過去形を用いるとまとめることができます。たしかに会話でも，話法の助動詞などは過去形で用いられるなどの，細かな規則もありますが，今の段階のみなさんは会話では現在完了形，物語では過去形と覚えておくのが一番だと思います。

練習問題 12 （完了形）

日本語との対応を考えながら，与えられた語句を結びつけ，現在完了のドイツ語文を作りなさい。(5.の問題は再帰代名詞の語順に気を付けてください。)

1. 彼は 昨日　彼女と　テニスをした
   Er, gestern, mit ihr, Tennis, gespielt haben (< spielen)
   　　ゲスターン　イーア　　　　　ゲシュピールト　　シュピーレン

2. 母親は　　子供を　　椅子の上に　　座らせた
   Die Mutter, das Kind, auf den Stuhl, gesetzt haben (< setzen)
   　　ムッター　　キント　　　　シュトゥール　ゲゼッツト　　　　ゼッツェン

3. 私は 君に 昨日　2度　　電話をかけた
   Ich, dich, gestern, zweimal, angerufen haben (< anrufen)
   　　ディヒ　　　　ツヴァイマール アンゲルーフェン　　　　アンルーフェン

4. 彼は 旅行を　　ボンで　中断した
   Er, seine Reise, in Bonn, unterbrochen haben (< unterbrechen)
   　　ザイネ ライゼ　　　　　ウンターブロッヘン　　　　　ウンターブレッヒェン

5. 彼女は 窓から　　　飛び降りた
   Sie, aus dem Fenster, sich gestürzt haben (< sich stürzen)
   　　　　　　　フェンスター　　ゲシュテュルツト　　　　　　シュテュルツェン

6. 私の列車は 時刻通りに 出発した
   Mein Zug, pünktlich, abgefahren sein (< abfahren)
   　　ツーク　ピュンクトリヒ アップゲファーレン　　アップファーレン

テキスト X — Ich bin nur ein Mann.

〉会話のシチュエーション〈

仲良く歩いていたカップルの女性の方が腹痛を訴えるように突然しゃがみ込みます。そこに，一人の中年男性が心配そうに近づいて来て，話しかけます。

中年の男性：Was ist passiert?
ヴァス　　パスィーアト

アベックの男：Meine Freundin fühlt sich plötzlich nicht wohl.
フロインディン　フュールト　　プレッツリヒ　ニヒト　ヴォール

中年の男性：Sie sieht ja ganz blass aus.
ズィート　ヤー　ガンツ　ブラス

　　　　　Legen Sie sie auf die Bank da[1]!
　　　　　レーゲン　　　　　　　　バンク　ダー

（身体を触りながらつぶやく）

　　　　　Etwa 90 — 60 — 95.
　　　　　エトヴァ　ノインツィヒ　ゼヒツィヒ　フュンフ・ウント・ノインツィヒ

　　　　　Nicht schlecht! Nicht schlecht!
　　　　　　　シュレヒト

　　　　　Lassen Sie sie hier noch ein wenig[2] liegen,
　　　　　ラッセン　　　　ヒーア　ノホ　　ヴェーニヒ　リーゲン

　　　　　dann geht es[3] ihr sicher bald besser.
　　　　　ダン　ゲート　　　　ズィッヒャー　バルト　ベッサー

ノート

1. die Bank da　　da「そこ」は前の名詞にかかり，全体で「そこのベンチ」。
2. noch ein wenig　　ein wenig は全体で「ほんの少し」という意味の副詞句。noch を付け，全体で「もうほんの少し」。
3. geht es ...　　es geht は3格の名詞および gut, schlecht などの形容詞と結びつき，人の体調について述べる熟語を作ります：
Es geht ihm gut/schlecht. 彼は体調が良い/悪い。

アベックの男：Vielen herzlichen Dank, Herr Doktor[4]!
フィーレン　ヘルツリッヒェン　ダンク　　ヘア　　ドクトア

　In welchem Krankenhaus sind Sie tätig ?
　　ヴェルヒェム　　クランケンハオス　　　　　テーティヒ

　Wir möchten Sie morgen besuchen und uns bei
　　　メヒテン　　　　モルゲン　　ベズーヘン　　　　　バイ

　Ihnen bedanken.
　　　　ベダンケン

中年の男性：Gern geschehen[5]!
　　　　　　ゲルン　　ゲシェーエン

　Außerdem bin ich kein Arzt.
　　アオサーデーム　　　　　　アールツト

アベックの男：Kein Arzt! Was sind Sie denn ?
　　　　　　　　　　　　ヴァス

中年の男性：Ich bin nur ein Mann.
　　　　　　　　　　ヌーア　　　マン

　Da mir die reizvollen Kurven Ihrer Freundin
　　ダー　　　　ライツフォレン　クルヴェン　　　フロインディン

　aufgefallen sind, wollte ich nur ihre Maße
　　アオフゲファレン　　　　ヴォルテ　　　　　　　　　　マーセ

　genau wissen.
　　ゲナオ　　ヴィッセン

　Ihre Freundin ist wirklich entzückend.
　　　　　　　　　　　　ヴィルクリヒ　エントツュッケント

---

4. Vielen herzlichen Dank, Herr Doktor！　文字通りには「vielen 多くの herzlichen 心からの Dank 感謝を（持ってください）」の意。Herr Doktor は博士号（Doktor）を持っている人への呼び掛け。
5. Gern geschehen！　文字通りには「喜びを持って生じました」という意味ですが、「どういたしまして！」を意味する決まった言い回し。

私はただの男なのです

中 年 の 男：どうしたんですか？
アベックの男：彼女が突然気分が悪くなったんです。
中 年 の 男：ああ，まっさおだね。
　　　　　　　そこのベンチに寝かせなさい！
　　　　　　　………………
　　　　　　　約 90―60―95。
　　　　　　　悪くない！　悪くない！
　　　　　　　ここにちょっと寝かせたら，きっとすぐ良くなりますよ。
アベックの男：どうも本当にありがとう，先生！
　　　　　　　どの病院で働いていらっしゃるんですか？
　　　　　　　明日お伺いし，お礼を申したいのですが。
中 年 の 男：そんな必要はないですよ。それに私は医者じゃありません。
アベックの男：お医者さんではないのですか。ではなんなのですか？
中 年 の 男：単なる男です。
　　　　　　　あなたの彼女の魅惑的な曲線が目についたので，サイズを少しくわしく知りたいと思っただけなのです。
　　　　　　　本当に彼女は魅力的ですね。

単語メモ　(過＝過去形，複＝複数形)

Arzt（der）	医者	Freundin（die）	ガールフレンド
auf|fallen (ist aufgefallen)	目立つ	fühlen《sich と》	…の気分だ
		ganz	まったく
aus|sehen (er sieht...aus)	…のように見える	genau	正確に
		hier	ここ
außerdem	その他に	ja	実際
bald	間もなく	kein	どの…もない
Bank（die）	ベンチ	Ihnen	あなたに
bedanken《sich と》	感謝する	ihr	彼女に
besser（英：better）	よりよい	Ihr	あなたの
besuchen	訪れる	Krankenhaus（das）	病院
blass	青白い	Kurve（die） (複 Kurven)	身体の曲線
da	そこ/…なので		
denn	一体	legen	横にする
entzückend	魅力的な	liegen	横になっている
etwa	約	Mann（der）	男

111

Maß (das)	サイズ	schlecht	悪い
(複 die Maße)		sicher	きっと
mir	私に	tätig	勤務して
möchten	…したい	und	そして
morgen	明日	was	何
nicht	…ない	welcher	どの
nur	ただ	wirklich	本当に
passieren	起きる	wissen	知っている
(ist passiert)		wohl	（気分が）良い
plötzlich	突然	wollen（過 wollte）	…したい
reizvoll	魅惑的な		

第18課 受動文

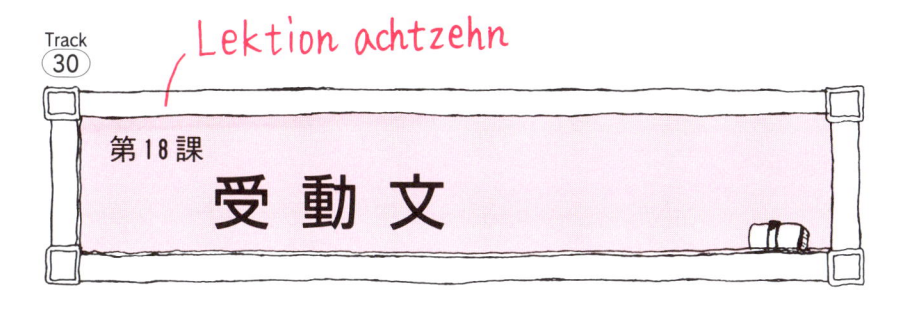

Lektion achtzehn

> Der Schüler **wird** vom Lehrer **gelobt.**
> シューラー　ヴィルト　　　レーラー　　ゲロープト
> 　　　　　　第2位
> 生徒は　　　　　　先生に　　　　　ほめられる。

✳ ポイント

上文で第2位に置かれた wird（＜werden）と文末に置かれた過去分詞 gelobt（＜loben ほめる）は一緒になって「ほめられる」という受動の意味を作ります。この課では，受動文を学びます。

§1　受動文の作り方

受動形は，上に述べたように，過去分詞と werden の組み合せによって作られます。これは**受動不定詞**と呼ばれ，人称変化のもとになるものです。これをまずしっかり頭に入れてください。

> loben　⇒　**gelobt werden**
> ローベン　　　ゲロープト　ヴェーアデン
> ほめる　　　　ほめられる

受動不定詞を覚えたところで，受動文の作り方です。受動文も，完了文の場合に準じ，助動詞 werden を第2位に，本動詞の過去分詞を文末に置いて作ります。日本語の受動文との対応を図示しますので，その関係をしっかり頭に入れてください。要するに，いつもの通り，日本語で一番後に来るものだけを第2位に移せばよいのです。

113

生徒は	＿＿＿	先生に	ほめられる
Der Schüler		vom Lehrer	**gelobt werden**

Der Schüler **wird** vom Lehrer **gelobt**.　第2位に

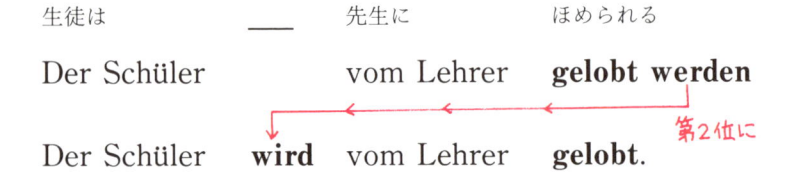

§2　受動形の人称変化

　受動文の基本的なところが頭に入ったところで現在形と過去形と現在完了形の人称変化を学びましょう。**現在形**は werden を現在人称変化させればよいので，次のようになります。

ich werde （ヴェーアデ）
du wirst （ヴィルスト）　　… gelobt
er wird （ヴィルト）

wir werden （ヴェーアデン）
ihr werdet （ヴェーアデット）　　… gelobt
sie werden

→ 不規則変化

過去形は，werden を過去人称変化させればよいのですが，werden の過去形を忘れた人はもう一度95ページの「過去形の作り方」を読み直してください。

ich wurde （ヴルデ）
du wurdest （ヴルデスト）　　… gelobt
er wurde

wir wurden （ヴルデン）
ihr wurdet （ヴルデット）　　… gelobt
sie wurden

　現在完了形は少し複雑ですが，まず werden を現在完了形にし，それに本動詞の過去分詞を結びつけるのです。werden の完了形は sein によって作るのでしたね。「あ，そうだった！」と思った人はもう一度106ページを読み直してください。なお werden の過去分詞は geworden ではなく，**worden** になることに注意してください。次のように人称変化します。

ich bin ⎫
du bist ⎬ ... gelobt **worden**
er ist ⎭

wir sind ⎫
ihr seid ⎬ ... gelobt **worden**
sie sind ⎭

なお，「誰それによって」と，たとえば上例ではほめてくれる人を表現したい場合には，「**von ＋ 3格名詞**」の前置詞句を用います。

Er wurde **von seinem Chef** gelobt.

彼は上司によってほめられた。

§3 状態受動

受動文の一つのバリエーションとして，「…された状態である」という意味を表す状態受動がありますが，これは他動詞の過去分詞と sein の組み合せによって作られます。過去分詞を，「…された状態の」という意味の一種の形容詞と考えるとよいわけで，実例を一つ挙げてみましょう。

Die Tür **ist geöffnet***. → sein動詞

戸は開けられている。

　* öffnen「開ける」→ geöffnet「開けられた状態の」＝ offen「開いている」

辞書には他動詞は[他]と出ている

練習問題 13 （受動形）

Ⅰ．次の動詞の受動不定形を書きなさい。すべて規則動詞です。

不定形		受動不定形	
bauen	建てる	_____	
öffnen	開ける	_____	
untersuchen	調査する	_____	（ただし非分離動詞）
verhaften	逮捕する	_____	（ただし非分離動詞）

Ⅱ．次の語句を用いて，ドイツ語の受動文を作りなさい。

1. ここに　新しいデパートが　　建てられる
   hier,　ein neues Warenhaus, gebaut werden
   　ヒーア　　　　ノイエス　ヴァーレンハオス

   _____

2. 郵便配達人は　　　犬に　　　　かまれる
   Der Briefträger, von einem Hund, gebissen werden
   　ブリーフトレーガー　　　　　　フント　　ゲビッセン

   _____

3. 事故の原因は　　　　　　警察によって　　調べられる
   Die Ursachen des Unfalls, von der Polizei, untersucht werden
   　ウーアザッヘン　　ウンファルス　　　　ポリツァイ　ウンターズーフト

   _____

4. 犯人は　　　　昨日　　公園で　逮捕された
   Der Verbrecher, gestern, im Park, verhaftet werden
   　フェアブレッヒャー　　　　　　パルク　フェアハフテット

   _____

5. 扉は　　外から　　　開けられた
   Die Tür, von draußen, geöffnet　worden sein
   　テューア　　ドラオセン　ゲエフネット　　ヴォルデン

   _____

テキスト XI — Mutti, Vati！

〉会話のシチュエーション〈

倦怠期の中年夫婦。娘を寝かしつけた後の会話です。甘い，甘い会話になるでしょうか？（夫婦喧嘩は犬でも食わぬ！　日本的な会話をドイツ語で表現しました。）

夫　：Ich habe Durst.
　　　　　　ドゥルスト

妻　：......

夫　：Ich habe gesagt, ich habe Durst.
　　　　　　　ゲザークト

妻　：Wenn du Durst hast, geh doch in die Küche und trink Wasser!
　　　ヴェン　　　　　　　　　ゲー　ドホ　　　　　キュッヒェ　　トリンク　ヴァッサー

夫　：Ich soll Wasser trinken!
　　　　　　ゾル　　　　　　　　トリンケン

妻　：Warum nicht！　Das passt doch zu deinem Gehalt.
　　　ヴァルム　ニヒト　　　　パスト　　　　　ダイネム　ゲハルト

夫　：Immer, wenn[1] du den Mund aufmachst, klagst du über mein Gehalt.
　　　インマー　　　　　　　　　　ムント　アオフマハスト　クラークスト

ノート

1. Immer, wenn...　　immer と wenn 文は同格的で，「…の時にはいつも」の意。

　　　　Du kannst froh sein, dass du nicht hinausgeworfen
　　　　カンスト　フロー　ザイン　ダス　　　　　　ヒナオスゲヴォルフェン
　　　　wirst.
　　　　ヴィルスト

妻　：Wieso willst du mich hinauswerfen?
　　　ヴィーゾー ヴィルスト　　　　ヒナオスヴェルフェン

　　　　Zuerst werfe ich dich hinaus!
　　　　ツーエーアスト ヴェルフェ

夫　：Wenn du kannst, tu's² doch!
　　　　　　　　　　　トゥース　ドッホ

　　　（隣の部屋から娘が寝ぼけまなこで出て来る）

娘　：Mutti, Vati! Ich habe gerade einen schrecklichen
　　　ムッティー ファーティー　　　ゲラーデ　　　　シュレックリッヒェン

　　　　Traum geträumt³.
　　　　トラオム　　ゲトロイムト

母(妻)：Welchen⁴ denn?
　　　　ヴェルヒェン　デン

娘　：Ihr werdet zuerst von einem Hund gefressen,
　　　　ヴェーアデット　　　　　　　　フント　ゲフレッセン

　　　　aber gleich wieder ausgespuckt.
　　　　　　グライヒ　ヴィーダー　アオスゲシュプックト

2. tu's　　tu es「それをせよ!」を融合させたもの。
3. einen schrecklichen Traum geträumt　　einen schrecklichen Traum träumen は，文字通りに訳せば,「恐ろしい夢を見る」。このように動詞と同一の意味内容を持つ目的語を同族目的語と呼びます。
4. Welchen　　Welchen Traum?「どの夢を?」の名詞 Traum を省略したものです。冠詞類はこのように名詞を省略して用いることができます。

ママ，パパ！

夫：喉(②)がかわいたなあ。
妻：……
夫：喉がかわいたって言ったんだよ！
妻：喉がかわいたのなら，台所に行って，水でも飲みなさいよ。
夫：水を飲めって！
妻：なんで驚いているの!?　あなたの給料には，それがピッタリよ。
夫：おまえは，口をあけさえすれば，いつでも給料の文句じゃないか。追い出されないだけでも，ありがたいと思え！
妻：なんで私が追い出されなきゃならないの？私の方があなたをその前に追い出すわ！
夫：できるなら，やってみろ！
………………………………
娘：ママ，パパ！　私今こわい夢を見たの。
母(妻)：どんな夢を見たの？
娘：一匹の犬にママとパパが食べられちゃうけど，すぐに吐きだされちゃうのよ。

aber	しかし
auf|machen	開ける
aus|spucken	吐き出す
(wird ausgespuckt	吐きだされる)
denn	一体
dich	君を
doch	それなら
(相手に促す気持ちを表し)	
Durst (der)	喉のかわき
euch	君たちを
fressen (er frisst)	(動物が)食べる
froh	喜んで(いる)
Gehalt (das)	給料
gehen (命令形 geh!)	行く
gerade	丁度
gleich	すぐに
hinaus|werfen	ほっぽり出す
(wird hinausgeworfen	ほっぽり出される)
Hund (der)	犬
immer	いつも
klagen	嘆く
können (du kannst)	…できる
Küche (die)	台所
Mund (der)	口
Mutti	ママ（呼びかけ）
nicht	…でない
passen (er passt)	…に相応しい
schrecklich	恐ろしい
sollen	…すべきだ
Traum (der)	夢
träumen	夢を見る
trinken (命令形 trink)	飲む
tun (命令形 tu)	する
über	…について
und	そして
Vati	パパ（呼びかけ）
warum	なぜ
Wasser (das)	水
welcher	どの？
wenn	もし…ならば
wieder	再び
wollen (du willst)	…したい
zu	…へ
zuerst	はじめに

第19課 zu 不定詞

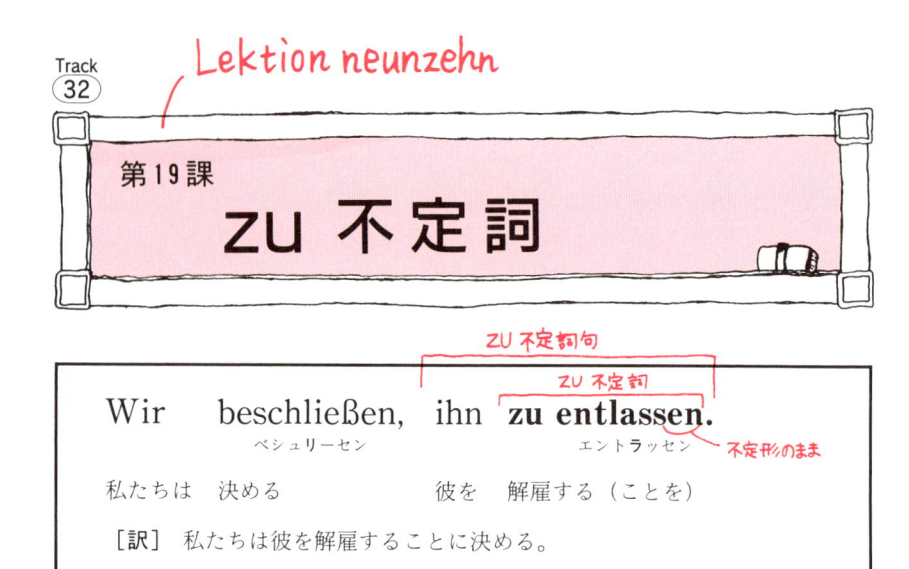

Lektion neunzehn

> Wir beschließen, ihn **zu entlassen**.
> ベシュリーセン　　　　　　　エントラッセン
> 私たちは　決める　　　彼を　解雇する（ことを）
>
> [訳] 私たちは彼を解雇することに決める。

✺ ポイント

上例には2つの動詞がありますが，2つ目の動詞 entlassen の前に前置詞らしい zu が添えられていますね。この課では，zu と動詞の結合を学びます。

§1 zu 不定詞の働き

不定詞の直前に zu を置いたものを zu 不定詞，それを含む句を zu 不定詞句と呼びます。これは英語の to 不定詞（句）に相当するもので，名詞と同じような働きをするものです。上例の zu 不定詞句は beschließen の目的語になっています。したがってこの zu 不定詞句は，名詞や dass 文によって書き換えることが可能です。

Wir beschließen seine Entlassung.
　　　　　　　　　　　エントラッスング

私たちは彼の解雇を決める。

Wir beschließen, dass wir ihn entlassen.

私たちは彼を解雇することを決める。

§2　zu 不定詞(句)の作り方

　zu 不定詞句は，語句を<u>日本語と同じ語順で並べ</u>，末尾に置かれる動詞の直前に zu を置いて作ります。したがって，動詞以外の語句は，英語と異なって，zu の前に置かれることになります。<u>zu 不定詞句は，副文の一種</u>なのです。以下に，例を2つ挙げますが，zu 不定詞句の作り方で注意してほしいのが分離動詞の場合です。分離動詞の場合，zu は分離前つづりと基礎動詞部分との間に入れるのです。

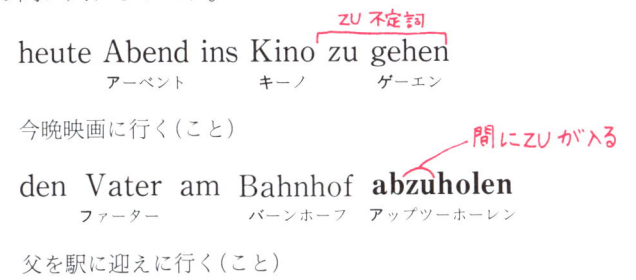

heute Abend ins Kino zu gehen
　　　　アーベント　　キーノ　　　　ゲーエン

今晩映画に行く(こと)

den Vater am Bahnhof **abzuholen**
　　ファーター　　　バーンホーフ　　アップツーホーレン

父を駅に迎えに行く(こと)

§3　用法

　zu 不定詞句の用法は，次の4つです。語順に注意しながら，zu 不定詞句の使い方をしっかり頭に入れてください。

　(イ)　まず，**主語**としての zu 不定詞句です。文頭に zu 不定詞句を置くと，何が主語かわかりにくくなる場合，文頭に es を置き，zu 不定詞句を文末に回し，その前にコンマを打ちます。

Ihn zu beruhigen gelingt mir.
　　ベルーイゲン　　　ゲリングト

彼を落ち着かせることに私は成功する。

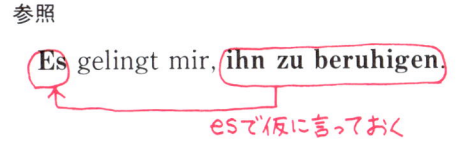

参照

Es gelingt mir, ihn zu beruhigen.

(ロ) 次は，**目的語**としての zu 不定詞句です。zu 不定詞句はふつう文末に置き，その前にコンマを打ちますが，本来の目的語の位置に es を置くことがあります。

 Er vergisst*, **das Haus abzuschließen**.   * < vergessen
  フェアギスト   アップツーシュリーセン

 彼は家の鍵を閉めるのを忘れる。

参照
 Er vergisst es, das Haus abzuschließen.

(ハ) 少しややこしいのが，**付加語**としての zu 不定詞句です。この zu 不定詞句は名詞を修飾するもので，名詞の後ろに置かれます。その前にコンマを打ちます。

 Er hat den Auftrag, sie am Bahnhof abzuholen.
     アオフトラーク   バーンホーフ

 彼は彼女を駅に出迎えるように指図を受けている。

(ニ) 最後のものは，前置詞 **um, ohne, statt** と結合した**副詞的な** zu 不定詞句です。一種の熟語ですので，このまましっかり覚えてください。

 Er fährt in die Stadt, **um** zum Arzt **zu** gehen.
      フェーアト   シュタット   アールツト

 彼は，医者のところに行くために，町へ(車で)行く。

 Er geht davon, **ohne** sich noch einmal um**zu**drehen.
     ダフォン   ノホ   アインマール   ウムツードレーエン

 彼は，再び振り向くこともなく，去って行く。

 Er legt sich aufs Bett, **statt zu** arbeiten.
   レークト   ベット   シュタット   アルバイテン

 彼は，仕事をする代わりにベッドに横になる。

練習問題 14 （zu 不定詞）

次の文を訳しなさい。

1. Auf dem Bauplatz zu spielen ist verboten.

2. Es lohnt sich, diesen Roman zu lesen.

3. Sie erlaubt mir, ihre Briefe aufzumachen.

4. Er bittet mich, ihm zu helfen.

5. Ich habe keine Lust, ins Kino zu gehen.

6. Er fängt an zu singen.

7. Er nimmt das Geld, ohne zu fragen.

8. Er geht in die Stadt, um das Buch zu kaufen.

単語メモ

der Bauplatz 建築現場　　der Roman 小説　　der Brief 手紙　　das Kino 映画
das Geld お金　　die Stadt 町　　das Buch 本　　Lust haben する気がある
spielen 遊ぶ　　sich lohnen 価値がある　　lesen 読む　　erlauben 許可する
auf|machen 開ける　　bitten 頼む　　helfen 助ける　　gehen 行く　　an|fangen 始める
singen 歌う　　nehmen 取る　　fragen 尋ねる　　kaufen 買う
verboten 禁止されて(いる)

テキスト XII — Uhrenfamilie

Es war einmal[1] eine Uhrenfamilie. Die Familie machte den ganzen Tag fröhlich Tick und Tack[2]. Aber eines Morgens[3] bemerkte die Mutter, dass ihr Sohn nicht mehr Tick-Tack machte. Da schrie sie: „Mein Sohn ist krank!" und fing an[4] zu weinen. Der Vater sagte: „Hör auf zu weinen! Wir müssen unseren Sohn zum Uhrendoktor bringen."

Der Uhrendoktor untersuchte ihn und sagte: „Euer Sohn ist überhaupt nicht krank. Man hat nur vergessen, ihn aufzuziehen." Der Doktor zog den Buben auf. Da fing er sofort an, Tick-Tack zu machen. Die ganze Familie machte wieder den ganzen Tag fröhlich Tick und Tack.

ノート

1. Es war einmal …　「昔あるところに…がおりました」という、昔話に用いられる決まり文句です。
2. Tick und Tack ＜Tick-Tack＞　時計の時を刻む音を表す。machen と用いられ、「チクタクと時を刻む」。
3. eines Morgens　副詞的に用いられる2格で、「ある朝」。
4. fing an　不定詞は an|fangen、zu 不定詞句と用いられて、「…し始める」。

時計の家族

　昔，時計の家族がおりました。家族は一日中楽しそうにチクタクと時を刻んでおりました。しかしある朝，母親は，息子がチクタクと時を刻んでいないのに気づきました。それで母親は『息子が病気だ！』と叫ぶと，泣き出しました。父親は，『泣くのは止めなさい！ お医者のところに連れていかなければなりません』と言いました。

　時計の医者はその子供を診察すると，『息子さんは病気ではありません。ただねじを巻くのを忘れただけです』と言いました。医者は男の子のねじを巻くと，その子はすぐさま，チクタクと時を刻み始めました。

　家族は再び全員そろって一日中楽しそうにチクタクと時を刻みました。

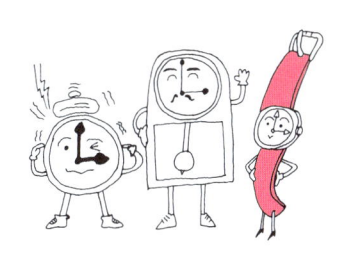

単語メモ　（過＝過去形）

aber	しかし	Mutter (die)	母親
an|fangen	始める	nicht mehr	もはや…でない
（過 fing an）		nur	ただ
auf|hören	止める	sagen	言う
auf|ziehen	（ねじを）巻く	schreien（過 schrie）	叫ぶ
（過 zog auf）		sein（過 war）	…である
bemerken	気づく	Sohn (der)	息子
bringen	運ぶ	Tag (der)	日
Bub (der)	男の子	überhaupt nicht	全然…でない
da	そこで	Uhrendoktor	時計の医者
dass	…のことを	Uhrenfamilie	時計家族
euer	君たちの	und	そして
Familie (die)	家族	untersuchen	診察する
fröhlich	楽しそうに	Vater	父親
ganz	全ての	vergessen	忘れる
krank	病気で（ある）	(hat vergessen)	
man	人は	weinen	泣く
Morgen (der)	朝	wieder	再び
müssen	…ねばならない	zu	…のところに

第20課　比較表現

Lektion zwanzig

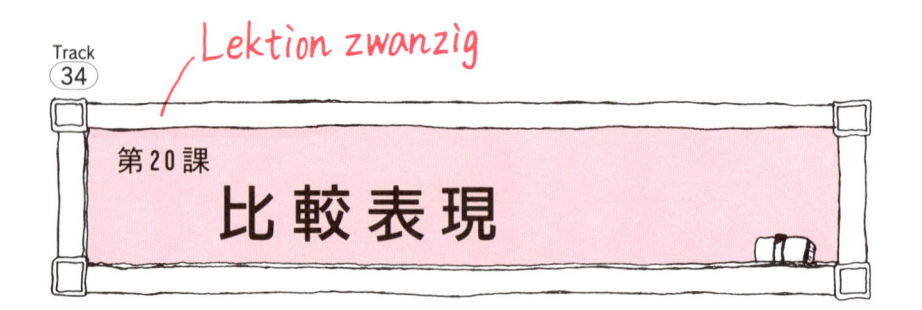

der schnelle Wagen　　速い車
　　シュネレ　ヴァーゲン

der schnellere Wagen　　より速い車
　　シュネレレ

✹ ポイント

上例の形容詞のところを見てください。下の方の名詞句では，形容詞と格語尾 -e との間に -er- が挿入されていますね。これは比較級を表すものなのです。（英語も -er）この課では比較表現を学びます。

§ 1　形容詞の比較変化

はじめに，比較級と最高級の形を覚えましょう。英語に似ています。比較級は形容詞そのもの（原級）に **-er** を，最高級は **-st** を付けて作ります。最高級で -st を付けると発音しにくい場合，e を挿入して -est にします。また，ウムラウトするものもあるので，注意してください。

原級		比較級	最高級
fleißig　フライスィヒ	勤勉な	fleißig**er**　フライスィガー	fleißig**st**　フライスィヒスト
tief　ティーフ	深い	tief**er**　ティーファー	tief**st**　ティーフスト
langsam　ラングザーム	ゆっくり	langsam**er**　ラングザーマー	langsam**st**　ラングザームスト
kalt　カルト	冷たい	kält**er**　ケルター	kält**est**　ケルテスト（口調上のe）

比較変化が不規則のものもわずかながらあります。典型的な例外を挙げてみましょう。

gut　グート	良い	**besser**　ベッサー	best　ベスト
hoch　ホーホ	高い	**höher**　ヘーアー	**höchst**　ヘーヒスト
viel　フィール	多い	**mehr**　メーア	**meist**　マイスト

※手書きメモ: 英: good, better, best 音が似ている / 英: many, more, most 音が似ている

§2　付加語的用法

比較級・最高級の形容詞を名詞の前に置いて言う場合，比較級・最高級の形（たとえば billiger, billigst）に原級の場合と同一の格語尾（たとえば -er, -en）を付加します。なお最高級では原則的に定冠詞を付けます。

ein billigerer Wagen　　（他のよりも）安い自動車
ビリゲラー　ヴァーゲン

der billigste Wagen　　（三者以上の間で）一番安い自動車
ビリヒステ

※手書きメモ: こちらが比較級のer / 格語尾

§3　述語的用法

2つのものを比較する場合には形容詞を比較級にし，比較の対象は **als** ... 以下によって表します。

Sein Wagen ist **schneller als** mein Wagen.
シュネラー　アルス

彼の自動車は私の自動車よりも速い。

Der Fluss ist hier **tiefer als** dort.
フルス　ティーファー　ドルト

この川はここの方があそこよりも深い。

※手書きメモ: 英: than

127

また，3つ以上のものを比較し，そのなかで「一番…だ」という場合には最高級を用います。それには定冠詞を伴う形式と **am —sten** の形式の2種類の形式があります。

定冠詞を伴う形式の場合，次の4種類があるのですが，それらのどの形を用いるかは，本来そこに置かれるべき名詞の性・数によって決められます。

der —ste （男性・単数）	das —ste （中性・単数）
die —ste （女性・単数）	die —sten （複数）

Er ist **der fleißigste** in dieser Klasse.
フライスィヒステ　　　　　クラッセ
彼はこのクラスの中でもっとも勤勉です。

Sie ist **die fleißigste** in dieser Klasse.
彼女はこのクラスの中でもっとも勤勉です。

上の文では男性が，下の文では女性が問題になっているので，それぞれ der —ste と die —ste が用いられているのです。

am —sten の形はそのまま述語として用いられます。

Er ist **am fleißigsten** in dieser Klasse.（意味は上と同じ）
フライスィヒステン

なお，この am —sten の形式は，考えられるいくつかの条件のなかで主語の状態を比べ，当該の条件のもとで「一番…だ」と言う場合にも用いられます。

主語
Der Fluss ist hier **am tiefsten**.
フルス　　　　　　ティーフステン
この川はここがもっとも深い。（この川のいろいろな所と比べて）

§ 4　副詞的用法

　最後に，副詞の比較表現を学びましょう。比較級は -er，最高級は形容詞と同じく am —sten によって作ります。

　Der Wagen fährt **schneller** als mein Wagen.
　　　　　　　フェーアト　　シュネラー

　その自動車は私の自動車よりも速い。

　Der Wagen fährt **am schnellsten**.
　　　　　　　　　　　シュネルステン

　その自動車は一番速く走る。

練習問題 15 （比較）

Ⅰ．下線部にそれぞれ意味と比較級と最高級の形を入れなさい。

原級	意味	比較級	最高級
1. billig	_____	_____	_____
2. hell	_____	_____	_____
3. hoch	_____	_____	_____
4. hübsch	_____	_____	_____
5. kurz	_____	_____	_____
6. lang	_____	_____	_____

Ⅱ．下線部の形容詞を適当な形にし，訳しなさい。

1. Sie sehen <u>gut</u> aus.（比較級）

2. Das Benzin wird schon wieder <u>teuer</u>.（比較級）
   ベンツィーン

3. Das Baby liegt <u>gern</u> auf dem Bauch.（最高級）

4. Seine <u>jung</u> Tochter ist mit einem Ingenieur verheiratet.（比較級）
   インジェニエーア

単語メモ

das Baby 赤ん坊　der Bauch 腹　das Benzin ガソリン　der Ingenieur 技師
die Tochter 娘　aus|sehen …に見える　liegen 横になっている　werden …になる
gut 元気そうに　jung 若い　teuer 高い　verheiratet 結婚して(いる)　gern よろこんで
schon wieder 再び

> コーヒーブレイク **3**
>
> # Tier と Frucht

Tier　Tier［ティーア］を辞書で引きますと、大抵「動物」という訳語が挙げられておりますが、日本語で「動物」といいますと、ふつうはライオンとかサルとかの獣類を思い浮かべるでしょうが、ドイツ語の Tier は少し違うようです。ある小説でしらみ（Laus［ラオス］）のことを、「一匹一匹殺すのは大変だ。この Tier は固くて…」と描写してあります。これは決して特殊な事例ではなく、燕（つばめ）、鰻（うなぎ）、蝶々（ちょうちょう）なども Tier によって言い換えてある文例を探すことができるのです。すなわちドイツ語の Tier は、日本語の「動物」と異なり——ある程度文脈に従属する面もありますが——4つ足のものだけでなく、昆虫も魚も鳥も指すことができ、いわゆる生物学的分類範ちゅうとしての動物に近いのです：

　　Tier：動物、但し4つ足のものだけではなく、昆虫、魚、鳥なども指しうる。

Frucht　Frucht［フルフト］をある辞書で引きますと、「果実、くだもの、木の実」という訳語が挙げられておりますが、トマトもピーマンも、Frucht なのです。これらは、果実でも木の実でもなく、野菜のものですね。Frucht とはしたがって、「果実」や「木の実」を個別に指示するものではなく、それらを内包する上位概念：「実」のことなのです。実という日本語はあまりパッとしませんが、「実をつける」：Früchte tragen などの「実」なのです：

　　Frucht：実、たとえば果実（くだもの）、木の実、野菜の実、穀物の実など。

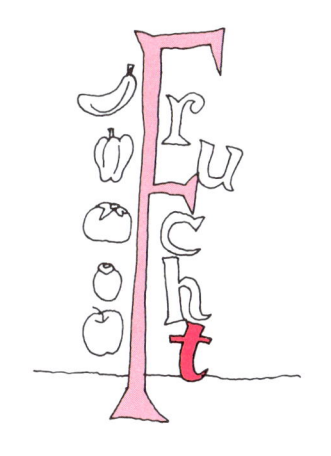

テキスト XIII — Die Mäuse und die Katze

Die Mäuse hielten eine Versammlung ab. Eine alte Maus fing an zu sprechen: „Seit kurzem¹ werden wir jede Nacht² von der Katze überfallen³."

Eine ältere⁴ Maus sagte:

„Wir müssen sofort irgendeine Maßnahme treffen⁵."

Eine jüngere⁴ Maus schlug vor: „Ich habe eine gute Idee. Wir hängen der Katze ein Glöckchen um."

Eine andere junge Maus sagte: „Gut! Dann wissen wir sofort, wenn die Katze kommt."

Alle Mäuse bewunderten diese Idee. Aber wie kann man der Katze ein Glöckchen umhängen? Als die Diskussion zu diesem Punkt kam, wurden alle Mäuse mäuschenstill.

ノート

1. Seit kurzem 「しばらく前から」。
2. jede Nacht 副詞的な4格で、「毎夜」。
3. werden ... überfallen überfallen の受動形で、「襲われる」。
4. ältere/jüngere それぞれ alt/jung の比較級。ここでは「他のものよりも年をとった/他のものよりも若い」という意味。
5. treffen eine Maßnahme treffen で「対策を講ずる」。

ねずみと猫

ねずみたちが集会を開きました。
年老いたねずみが話し始めました：
『最近，毎夜わたしたちは猫に襲われます。』
比較的年をとったねずみが言いました：
『わたしたちは即刻，なんらかの対抗策をとらねばなりません。』
比較的若いねずみが提案をしました：
『わたしに良い考えがあります。わたしたちは猫の首に鈴をつけるのです。』
他の若いねずみが言いました：
『その通りだ！　そうすれば，猫の来るのがすぐわかる。』
どのねずみも，この考えに感心しました。
しかし，どのようにしたら，猫の首に鈴を付けることができるのでしょう。
議論がこの点に至った時，どのねずみも黙ってしまいました。

単語メモ

ab|halten	催す	mäuschenstill	静まりかえった
(過 hielt...ab)		müssen	⋯せねばならない
all	すべての	Punkt (der)	点
alt	年をとった	sagen	言う
an|fangen	始める	sofort	即刻
(過 fing...an)		sprechen	話す
bewundern	感心する	überfallen	襲う
dann	その時	(wird überfallen	襲われる)
Diskussion (die)	議論	um|hängen	⋯の周りにかける
Glöckchen (das)	(小さな) 鈴	Versammlung (die)	集会
gut	良い	von	⋯によって
Idee (die)	考え	vor|schlagen	提案する
irgendein	ある	(過 schlug...vor)	
Katze (die)	猫	wenn	もし⋯ならば
kommen (過 kam)	来る	werden	⋯になる
können (er kann)	できる	(過 wurde)	
man	人は	wie	どのように
Maßnahme (die)	対策	wissen	わかる
Maus (die)	ねずみ	zu	⋯に
(複 Mäuse)			

第21課 関係文

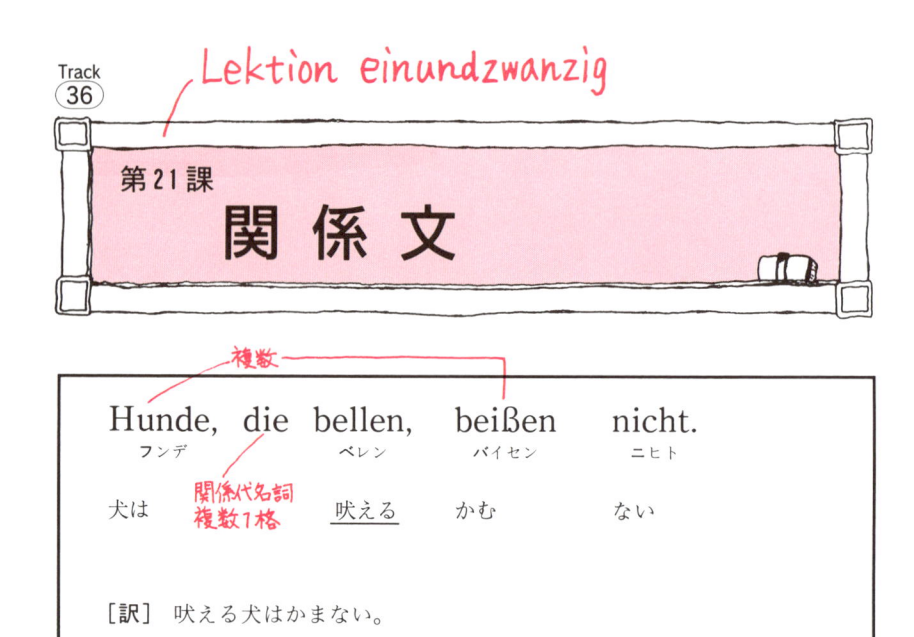

Lektion einundzwanzig

Hunde, die bellen, beißen nicht.
フンデ　　ベレン　　バイセン　ニヒト
犬は　　　吠える　　かむ　　　ない

（die: 関係代名詞 複数1格／Hunde: 複数）

[訳] 吠える犬はかまない。

✣ ポイント

上文には bellen と beißen という2つの動詞があり，また，はじめの動詞 bellen の前には名詞がないのに，定冠詞 die が置かれていますね。実は，この die bellen は関係文で，die は関係代名詞，bellen は関係文の定形なのです。この課では，関係文を学びます。

§1　関係代名詞の格変化

　関係文は，主文の名詞を修飾する1つの副文です。上例では die bellen が主文の名詞 Hunde を修飾しているのです。関係文の作り方を学ぶ前に，まず関係代名詞の格変化を学ぶことにしましょう。太字のところ以外は，定冠詞と同一で，覚えるのには楽ですね。

	男性	女性	中性	複数
1格	der デーア	die ディー	das ダス	die ディー
2格	**dessen** デッセン	**deren** デーレン	**dessen** デッセン	**deren** デーレン
3格	dem デーム	der	dem	**denen** デーネン
4格	den デーン	die	das	die

（定冠詞と違うところ）

§2　関係文の作り方

　関係文は関係代名詞を文頭に置き，その他は日本語と同一の語順（副文の語順，定形の動詞は文末！）で並べて作ります。関係文自体は，修飾される名詞，すなわち先行詞の後ろに置かれ，その前(後)はコンマで仕切られます。

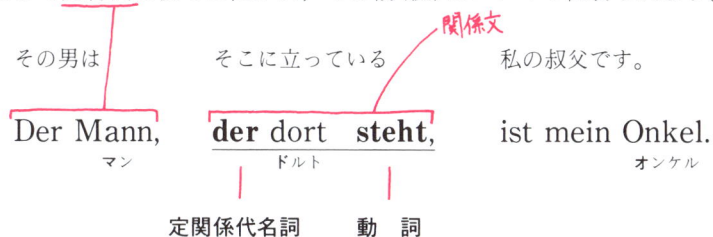

　　その男は　　　　そこに立っている　　　　　私の叔父です。
                              （関係文）

　　Der Mann,　　**der dort steht**,　　ist mein Onkel.
　　　マン　　　　　ドルト　　　　　　　　　　　　オンケル
　　　　　　　　　定関係代名詞　　動　詞

§3　関係代名詞の形の決め方

　次に，関係代名詞の形の決め方ですが，これは，関係代名詞のところに本来置かれるべき名詞の性・数・格によって決められます。上例で，関係代名詞の代わりに名詞を入れるとするならば，それは dort steht の主語になる名詞ですから，男性単数1格の名詞 der Mann ですね（→ Der Mann steht dort.）。ですから，男性単数1格の関係代名詞 der が用いられているのです。

　このように，関係代名詞の性・数は先行詞とかならず同一で，格は関係代名詞が関係文においてどのような役割を持つかによって決められるのです。いくつか具体例を見てみましょう。

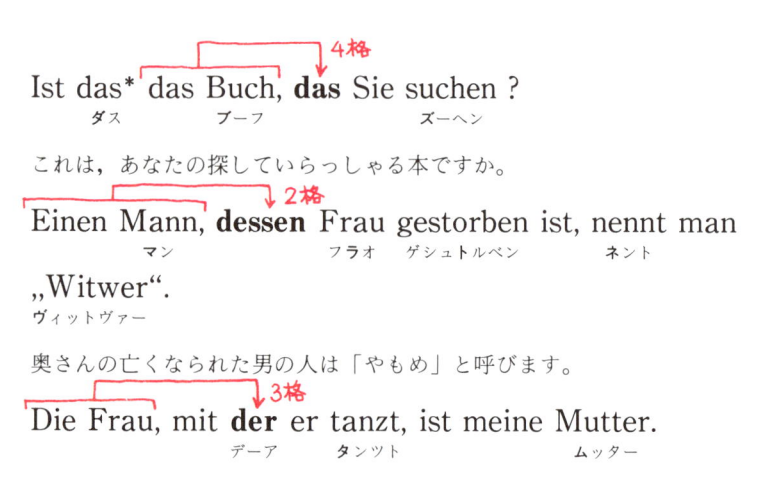

Ist das* das Buch, **das** Sie suchen ?
ダス　　　ブーフ　　　　　ズーヘン

[4格]

これは，あなたの探していらっしゃる本ですか。

Einen Mann, **dessen** Frau gestorben ist, nennt man
　　マン　　　　　　　フラオ　ゲシュトルベン　　　　ネント

[2格]

„Witwer".
ヴィットヴァー

奥さんの亡くなられた男の人は「やもめ」と呼びます。

Die Frau, mit **der** er tanzt, ist meine Mutter.
　　　　　デーア　　タンツト　　　　　　ムッター

[3格]

彼が一緒に踊っている女性は私の母です。

　* この das は冠詞の das ではありません。人やものを紹介的に取り上げる場合に用いるものです。

§4　不定関係代名詞 wer と was

　最後に，wer と was という2種類の不定関係代名詞も学んでおきましょう。これらは形が疑問詞の wer「誰」，was「何」と同一ですが，先行詞を含む関係代名詞で，それだけで「…するところの人[は]」あるいは「…するところのもの[は]」という意味になるのです。例文の下線の引かれた部分が1つの名詞と考えてください。

Wer nicht arbeiten will, soll nicht essen.
ヴェーア　　　アルバイテン　ヴィル　ゾル　　　　　エッセン

働く意志のない者は食うべきでない。

Was du gesagt hast, ist nicht richtig.
ヴァス　　　　ゲザークト　　　　　　　　リヒティヒ

君の言ったことは正しくない。

練習問題 16 （関係文）

下線部に適当な関係代名詞を入れ，訳しなさい。

1．Das ist der Arzt, _____ mir geholfen hat.

2．Ich finde den Freund nicht, _____ ich suche.

3．Sie winkte dem Mann zu, _____ in der Ecke stand.

4．Er setzte sich auf eine Bank, _____ am Weg stand.

5．Er gab mir das Buch zurück, _____ er sich geliehen hatte.

6．Wer ist die Frau, _____ dort mit unserem Lehrer tanzt？

7．Mein Freund, _____ Eltern in Kyoto wohnen, hat mich eingeladen.

8．Das Gehirn ist ein Organ, mit _____ wir denken, dass wir denken.

単語メモ

der Arzt 医者　　der Freund 友人　　der Mann 男　　die Ecke 角, 隅
die Bank ベンチ　　der Weg 道　　die Frau 女性　　der Lehrer 先生
die Eltern（複）両親　　das Gehirn 脳　　das Organ 器官
helfen（＞geholfen）助ける　　finden 見つける　　suchen 探す　　zu|winken 合図する
sich setzen 座る　　stehen（＞stand）立っている
zurück|geben（＞gab zurück）返す　　leihen（＞geliehen）借りる　　tanzen 踊る
wohnen 住んでいる　　ein|laden（＞eingeladen）招待する　　denken 考える
das それ　　wer 誰　　dort そこに

テキスト XIV — Der Klee

Eines Frühlingsabends¹ stand ein Ainu-Mädchen — Ihama — am Ufer eines Sees in der Nähe ihres Dorfes. Über dem See stand der Mond, der² vorher voll und rund gewesen war. Sie fragte den Mond:

»Wie ist die Liebe? Ist die Liebe schön?«

Da beleuchtete plötzlich der Mond ein Boot auf dem See. Im Boot saß ein hübscher junger Mann. Er hieß Appa und wohnte im Dorf am anderen Ufer des Sees. Die beiden verliebten sich sofort ineinander³. Aber ihre Eltern waren entschieden gegen die Heirat und verboten ihnen, sich zu treffen. Die beiden Familien lebten schon seit langem⁴ in Feindschaft miteinander⁵.

ノート

1. Eines Frühlingsabends　副詞的2格で、「ある春の晩に」。
2. der　関係代名詞で、先行詞は Mond です。
3. ineinander　前置詞 in と einander「お互いに」の結合したもの。
4. seit langem　「長い間」。
5. miteinander　前置詞 mit と einander「お互いに」の結合したもの。

クローバー

　ある春の晩，アイヌの娘イハマが彼女の村の近くの湖畔に立っておりました。
　湖の上には，昨晩満月の輝きをはなっていた月がかかっておりました。彼女は月に向かって尋ねました：
　「愛ってどんなもの？　愛ってステキなもの？」
その時急に月は湖の上のボートを照らし出しました。ボートには顔立ちのよい若者が座っておりました。その若者はアッパという名で，湖の向こう岸の村に住んでおりました。ふたりはすぐに恋に陥りました。しかしどちらの親も結婚に強く反対し，ふたりに会うことを禁止しました。ふたりの一族はすでに長い間，敵対関係にあったのです。

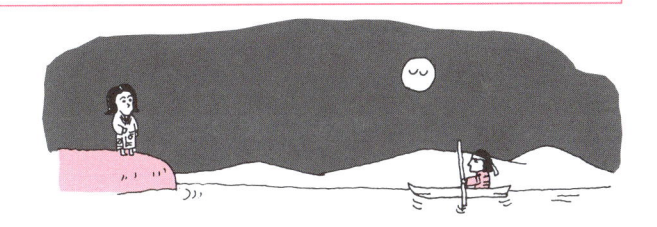

単語メモ

Ainu-Mädchen	アイヌの少女
als	…の時
ander	他の
auf|kommen	起こる
（過 kam...auf）	
aus|gehen	尽きる
（過 ging...aus）	
beide	二人の
beleuchten	照らす
binden（過 band）	結ぶ
blühen	咲いている
Boot（das）	ボート
da	その時に
Dorf（das）	村
einige	いくつかの
Eltern（複）	両親
entschieden	きっぱりと
erreichen	たどり着く
（過 erreichte）	
erwachen	目覚める
ewig	永遠の
Familie（die）	家族
Feindschaft（die）	敵対関係
fest	しっかりと
finden（過 fand）	見つける
fragen	尋ねる
ganz	全部の
gegen	…に反対して
Heirat（die）	結婚
heißen（過 hieß）	…という名前である
hinaus|fahren	こぎ出す
（過 fuhr...hinaus）	
hübsch	ハンサムな
jeweils	その都度
jung	若い
kentern	ひっくり返る
Klee（der）	クローバー
können	…できる
（過 konnte）	
Körper（der）	身体

Ihama und Appa konnten sich⁶ aber nicht vergessen. Trotz des Verbots der Eltern trafen sie sich jeweils am Abend nach dem Vollmond am See und versprachen sich ewige Liebe.

An einem solchen Abend fuhr Appa mit seinem Boot hinaus, um Ihama zu sehen. Als er aber die Mitte des Sees erreicht hatte⁷, kam plötzlich ein Sturm auf, und sein Boot kenterte. Appa schwamm mit voller Kraft zum Ufer, aber kurz bevor⁸ er es erreichte, ging ihm die Kraft aus. Nach einigen Stunden fand Ihama Appa tot am Ufer. Ihama weinte und weinte⁹. Als sie aber wusste, dass er nie wieder zum Leben erwachen würde¹⁰, band sie sich fest an seinen Körper und ging ins Wasser¹¹. Am nächsten Morgen blühte am ganzen Ufer des Sees weißer Klee.

---

6. sich　この sich は相互代名詞で、「お互いを」。
7. erreicht hatte　副文の出来事（die Mitte erreichen）が主文の出来事（Ein Strum kommt auf.）よりも以前に起きたものであるため、過去完了形が用いられています。
8. kurz bevor　kurz は bevor にかかり、「…のすぐ前に」。

イハマとアッパはしかしお互いを忘れることができませんでした。親の禁止にもかかわらず，2人は満月の次の晩にいつも湖畔で会い，永遠の愛を誓い合いました。

　そのようなある晩，アッパは，イマハに会うために，ボートで漕ぎ出しました。しかし彼が湖の中ほどまでたどりついた時，突然，突風が発生し，ボートがひっくり返ってしまいました。アッパは岸に向かって力一杯泳いだのですが，岸にたどり着くほんの少し手前で力尽きてしまいました。数時間後，イハマはアッパが岸辺で死んでいるのを見つけました。イハマは泣いて泣いて，泣き続けました。しかしアッパがもう2度と生き返らないことがわかった時，イハマは自分の身体をしっかりとアッパの身体にしばりつけ，水の中に入って行きました。

　次の朝，湖の岸辺一杯に白いクローバーが咲いておりました。

Kraft (die)	力	stehen (過 stand)	昇っている
Leben (das)	生命	Stunde (die)	時間
leben	生きる	Sturm (der)	突風
Liebe (die)	愛	tot	死んでいる
Mann (der)	男性	treffen	会う
Mitte (die)	真中	trotz	…にもかかわらず
Mond (der)	月	Ufer (das)	岸
Morgen (der)	朝	um	…ために
nach	…の後に	verbieten (過 verbot)	禁止する
nächst	次の	Verbot (das)	禁止
Nähe (die)	近く	vergessen	忘れる
nie	けっして…ない	verlieben《sich と》	惚れる
plötzlich	突然	versprechen (過 versprach)	約束する
rund	丸い	voll	一杯の
schon	すでに	Vollmond (der)	満月
schwimmen	泳ぐ	vorher	以前に（前日に）
(過 schwamm)		Wasser (das)	水
See (der)	湖	weinen	泣く
sehen	会う	wie	どのような
sein (過 war)	…である	wieder	再び
sitzen (過 saß)	座っている	wissen	知っている
sofort	即刻	wohnen	住んでいる

9. weinte und weinte　動詞を繰り返すと，「泣きに泣く」という強調表現になります。
10. würde　次課で習う接続法です。ここでは「…だろう」という意味だと解釈しておいてください。
11. ging ins Wasser　ins Wasser gehen で「入水する」。

第22課 接続法

> Er sagte, er **lerne** gern Deutsch.
> 彼は、ドイツ語を学ぶのが好きだと言った。

ポイント

上例で太字にした動詞の形 lerne は少しおかしいですね。主語が er なのに、語尾が e になっています。これは接続法と呼ばれる動詞の『最後』の形なのです。これで動詞の形はすべて学び終わったことになります。

§1 接続法

私たちは、「○は×だ」とか「○さんは△△をした」などと、事実をありのままに述べるだけではなく、「もし○が×ならば」とか「○さんは△△をしたと（言っている）」のように、事実とは逆のことを述べたり、他人の言葉を引用することもあります。このような場合に用いられるのが**接続法**なのですが、用法の詳しいことは §4 で学ぶことにし、まず接続法の作り方から学ぶことにしましょう。接続法の形には第1式と第2式の2種類があります。

§2 接続法第1式

まず、第1式ですが、第1式の人称変化は、不定形の語幹に次のような変化語尾を付けて作ります。

ich	-e	wir	-en
du	-est	ihr	-et
er	-e	sie	-en

では具体的に第1式の人称変化を見てみましょう。

※例外はこれ1つ

不定形	lernen 学ぶ	kommen 来る	haben 持っている	sein …である
ich	lern-e レルネ	komm-e コメ	hab-e ハーベ	sei ザイ
du	lern-est レルネスト	komm-est コメスト	hab-est ハーベスト	sei[e]st ザイ[エ]スト
er	lern-e	komm-e	hab-e	sei
wir	lern-en レルネン	komm-en	hab-en ハーベン	sei-en ザイエン
ihr	lern-et レルネット	komm-et コメット	hab-et ハーベット	sei-et ザイエット
sie	lern-en	komm-en	hab-en	sei-en

（ich, wir, sie → 直説法と同じ）
（er, ihr → e が入る）

　動詞 sein だけが例外ですが，直説法と比べると，人称語尾に e がかならず含まれているのが特徴です。

§ 3　接続法第2式 → 過去形が分かっていれば簡単

　第2式の作り方は，規則動詞と不規則動詞とで異なります。規則動詞の場合は，接続法の形が直説法の過去形とまったく同一になります。過去形の人称変化がすらすら言えますか。言えない人はもう一度94ページの過去形の作り方のところを読んでください。過去形をマスターした人は，次の人称変化は問題がないはずです。語学は積み重ねだと言われるのも，こういうことに出くわすとよくわかりますね。規則動詞の第2式の人称変化は，次のようになります。

過去形 = lernte － 語幹 + te

lernen 学ぶ	ich	lern-te レルンテ	wir	lern-ten レルンテン
	du	lern-test レルンテスト	ihr	lern-tet レルンテット
	er	lern-te	sie	lern-ten

143

不規則動詞の場合，接続法の形は，過去形の幹母音をウムラウトさせられるもの(a, o, u)はウムラウトさせた上で(ä, ö, ü)，それに上掲の接続法語尾を付けたものです。ただし，<u>過去形が -e に終わるものの場合は人称語尾のeを省きます</u>。

接続法の特徴のひとつ：ä, ö, ü

不定形	kommen →kam	sein →war	haben →hatte	werden →wurde	語尾
ich	käm-e ケーメ	wär-e ヴェーレ	hätte ヘッテ	würde ヴュルデ	-[e]
du	käm-est ケーメスト	wär-est ヴェーレスト	hätte-st ヘッテスト	würde-st ヴュルデスト	-[e]st
er	käm-e	wär-e	hätte	würde	-[e]
wir	käm-en ケーメン	wär-en ヴェーレン	hätte-n ヘッテン	würde-n ヴュルデン	-[e]n
ihr	käm-et ケーメット	wär-et ヴェーレット	hätte-t ヘッテット	würde-t ヴュルデット	-[e]t
sie	käm-en	wär-en	hätte-n	würde-n	-[e]n

§ 4 用法

接続法の用法は，細かなものを入れると多くありますが，ここでは重要な2つの用法，間接話法と非現実話法のみを扱うことにしましょう。

(イ) 間接話法

間接話法は，ある<u>発話</u>や考えを紹介的に取り上げ，間接的に述べることを表しますが，これには主に第1式を用います。ただし，その形が直説法現在と同形の場合は第2式を用います。実例を見てみましょう。

発言された話(こと)　　ほかの人の

Er sagte, { dass er kein Geld **habe**.
　　　　　{ er **habe** kein Geld.
ザークテ　　　　カイン　ゲルト

彼は，金を持っていないと言った。

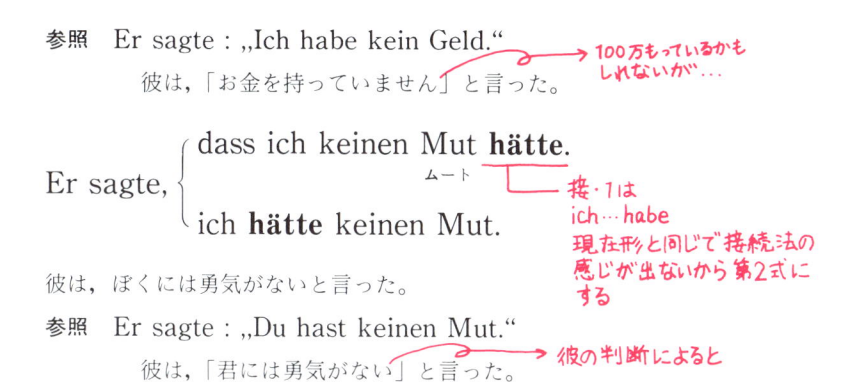

参照　Er sagte : „Ich habe kein Geld."
　　　彼は,「お金を持っていません」と言った。　→ 100万もっているかもしれないが…

Er sagte, { dass ich keinen Mut **hätte**.
　　　　　　 ich **hätte** keinen Mut.

→ 接・1は ich…habe 現在形と同じで接続法の感じが出ないから第2式にする

彼は,ぼくには勇気がないと言った。

参照　Er sagte : „Du hast keinen Mut."
　　　彼は,「君には勇気がない」と言った。　→ 彼の判断によると

㋺ 非現実話法

非現実話法とは, 事実の事柄と反対の事柄を取り上げ, 実現されない非現実のこととして述べることを指します。この場合,「もし…ならば」という仮定的条件の部分と「…だろうに」という帰結の部分に第2式を用います。

Wenn ich Geld **hätte, kaufte** ich ein Haus.
　　　　ヴェン　　　ゲルト　　　　　　　　カオフテ　　　　　　　　ハオス

もしお金があれば, 家を買うのだが。　（← お金がないから買えない）

Wenn ich Zeit **hätte, ginge** ich ins Konzert.
　　　　　　　　　　ツァイト　　　　　ギンゲ　　　　　　　コンツェルト

時間があれば, 私はコンサートに行くのだが。　（← 時間がないから行けない）

§ 5　würde による書き換え

　現代のドイツ語では, 第2式を不定形と würde の組み合せによって書き換えることが頻繁に行われます。第2式の形態が直説法のそれと同一の場合は特に würde の形式が好まれます。上例は次のように書き換えることが可能です。

→ 推量, 推測の気持ちがはっきり出る

Wenn ich Geld hätte, **würde** ich ein Haus **kaufen**.

Wenn ich Zeit hätte, **würde** ich ins Konzert **gehen**.

§6　接続法の過去　→ 必ず完了形を使う

今まで学んできた形は，「…だと（言った）」とか「…ならば，…だろうに」のように，現在のこと（文脈・主文と同時的なこと）を表すものですが，「…だったと（言った）」とか「…だったならば，…だっただろうに」のように，過去のことを表す場合には，過去分詞と haben/sein の第1式・第2式の組み合せを用います。これらは，直説法現在完了・過去完了からの派生形なのです。したがって，直説法で完了形を haben によって作る動詞はやはり haben の接続法と，直説法で完了形を sein によって作る動詞はやはり sein の接続法と組み合せられます。念のため，人称変化を挙げてみましょう。

第1式過去

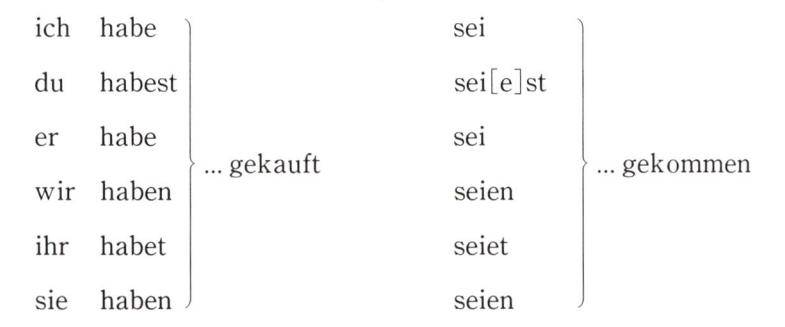

ich	habe		sei		
du	habest		sei[e]st		
er	habe	… gekauft	sei	… gekommen	
wir	haben		seien		
ihr	habet		seiet		
sie	haben		seien		

第2式過去

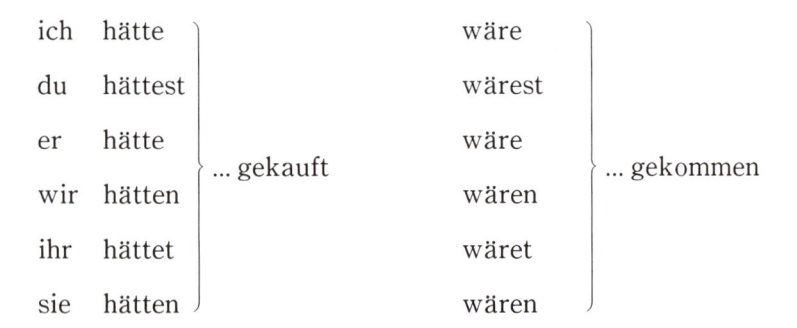

ich	hätte		wäre		
du	hättest		wärest		
er	hätte	… gekauft	wäre	… gekommen	
wir	hätten		wären		
ihr	hättet		wäret		
sie	hätten		wären		

Er sagte, dass er früher Lehrer **gewesen sei**. ← 過去分詞
　　　ザークテ　　　　　　フリューアー　　　　　ゲヴェーゼン

彼は，以前先生をしていたと言った。

Wenn er Geld gehabt **hätte, wäre** er nach Deutschland
　　　　　　　ゲハープト
gefahren. ← 過去分詞
ゲファーレン

もしお金があったならば，彼はドイツへ行ったことでしょう。

以上でドイツ語の基礎的な部分の説明は終わりです。よく頑張りましたね。これからもゆとりを持ってドイツ語を楽しく学んでください。

さようなら！

練習問題 17 （接続法）

Ⅰ．カッコ内の動詞を接続法の形にし，訳しなさい。

1．Er sagte, dass er Kopfschmerzen (haben)
   コップフシュメルツェン

2．Das Kind fragt die Mutter, ob es ins Kino gehen (dürfen)
   　　　　　フラークト　　　　　　　　　オップ

Ⅱ．まず直接話法の文を訳し，次に間接話法に直した文の下線部に適当な動詞の形を入れなさい。

1．Sie sagte：„Ich muss nach Hause gehen."
   　　　　　　　　ムス　　　　ハオゼ

   → Sie sagte, dass sie nach Hause gehen _____.

2．Er sagte：„Ich war nicht zu Hause."
   　　　　　　　　ヴァール

   → Er sagte, dass er nicht zu Hause _____.

Ⅲ．次の下線部の動詞を接続法の形にし，訳しなさい。

1．Wenn du Zeit (haben), (können) wir ins Kino gehen.
   　　　　　　ツァイト　　　　　　　　　　　　　　　キーノ

2．Wenn ich nicht erkältet (sein), (werden) ich an dem Ausflug
   　　　　　　　　エアケルテット　　　　　　　　　　　　　アオスフルーク

   teilnehmen.
   タイルネーメン

3．Wenn der Bus pünktlich gekommen (sein), (haben) wir den
   　　　　ブス　プュンクトリヒ　ゲコンメン

   Zug nicht verpasst.
   ツーク　　　フェアパスト

🔖 単語メモ

die Kopfschmerzen（複数）頭痛　das Kind 子供　die Mutter 母親　das Kino 映画
die Zeit 時間　der Ausflug 遠足　der Bus バス　der Zug 列車　zu Hause 家で
nach Hause 家へ　sagen 言う　fragen 尋ねる　gehen 行く　teil|nehmen 参加する
kommen 来る　verpassen 乗り遅れる　dürfen してもよい　sollen …すべきだ
müssen …せねばならない　können …できる　ob …かどうか　erkältet 風邪を引いて
pünktlich 時刻通りに

テキスト XV — Silvester-Aussprache[1]

〉会話のシチュエーション〈

日本人の Haruo さんは，中年のドイツ女性と同棲しております。大晦日の夜，一年を振り返って何となくうかない顔をしている Haruo さんを，「否，決して悪いことばかりではなかった。良いことも沢山あったではないか」と中年のドイツ女性が慰めるというお話です。

中年のドイツ女： Also, Haruo, du kannst gar nicht über das alte Jahr[2] klagen. Als du das Magengeschwür bekommen hattest, konntest du im besten Zimmer des Krankenhauses kostenlos liegen, weil dein Arzt bei der Operation ein Messer in deinem Magen hatte liegen lassen[3].

Haruo さん： ………

ノート

1. **Silvester-Aussprache**　Silvester は「大みそか」のことであり，Aussprache は「話し合い」を意味します。全体として一年の最後の日 12 月 31 日に特に夫婦がその年一年を振り返り，お互いに腹にもっていることをすべてうちあけ，話し合うことを指します。
2. **das alte Jahr**　「旧年」。大みそかはまだその年の一部ですが，心理的にはその年を既に旧年と呼ぶのもわかりますね。
3. **hatte liegen lassen**　liegen lassen で「置き忘れる」を意味し，その過去完了形。副文内の定形の語順として liegen lassen hatte になりそうですが，不定形が二つ並列する時の規則として ... hatte liegen lassen となるのです。

中年のドイツ女： Dann haben wir den Volkswagen sehr
billig kaufen können, nur weil ich mit dem
Verkäufer zwei Wochen nach Baden-Baden
gefahren bin.

Haruo さん： ………
中年のドイツ女： Dann sind dir[4] beim Verkehrsunfall genau
drei Zähne abgebrochen.
Wenn dir[4] nur zwei Zähne abgebrochen
wären, hätten wir mit dem Schmerzensgeld
von der Versicherung nicht den Farbfernseher
kaufen können.

Haruo さん： ………
中年のドイツ女： Und außerdem hat deine Frau einen anderen
Mann gefunden, und jetzt kannst du mich
endlich heiraten.
Ich weiß wirklich nicht, warum du über das
alte Jahr klagst.

---

4. dir 所有の3格で，Zähne にかかり，「君の歯」の意味になります。

大晦日の話し合い

中年のドイツ女：ねえ，Haruo，あんたがこの一年のこと嘆く理由なんてなんにもないのよ。
　　　　　　　　胃潰瘍(ょう)になった時だって，お医者さんが手術の際，メスをお腹に置き忘れてくれたので，無料で病院中の一番良い部屋に入ることができたじゃないの。

Haruo さん：………

中年のドイツ女：それから私達のワーゲンだって，私がセールスマンと二週間バーデン・バーデンに行っただけで，非常に安く買えたじゃないの。

Haruo さん：………

中年のドイツ女：それから自動車事故の時も，あんた，ちょうど歯を三本折ったでしょ。もし二本しか折れなかったら，保険会社の賠償金でカラーテレビなんか買えなかったのよ。

Haruo さん：………

中年のドイツ女：それからまだまだ，あんたの奥さんも別の男を見つけて，今あんたは私ととうとう結婚できるじゃないの。なんであんたがこの一年のことを嘆くのか私には本当にわからないわ。

単語メモ

abbrechen	折れる	fahren	乗物で行く
(ist abgebrochen)		Farbfernseher (der)	カラーテレビ
als	…時に	finden	見つける
also	それでは	(hat gefunden)	
ander	他の	Frau (die)	奥さん
Arzt (der)	医者	gar《nicht と》	全然…ない
außerdem	その他に	gerade	ちょうど
Baden-Baden	バーデン・バーデン(地名)	heiraten	結婚する
bekommen	受け取る	jetzt	今
best	最善の	kaufen	買う
billig	安い	klagen	嘆く
dann	それから	können	…できる
drei	3つの	kostenlos	無料で
endlich	やっと	Krankenhaus (das)	病院

lassen	…のままにする	Versicherung (die)	保険[会社]
liegen	置いてある	Volkswagen (der)*	フォルクスワーゲン
Magen (der)	胃	warum	なぜ
Magengeschwür (das)	胃潰瘍	weil	…であるため
Mann (der)	男	wenn	もし…ならば
Messer (das)	メス	wirklich	本当に
nach	…へ	wissen	知っている
nur	ただ	Woche (die)	週
Operation (die)	手術	Zahn (der)	歯
Schmerzensgeld (das)	賠償金	(複 Zähne)	
Verkäufer (der)	セールスマン	Zimmer (das)	部屋
Verkehrsunfall (der)	交通事故	zwei	2つの

*参照　Volkswagen：　ドイツの誇る大衆車，かぶと虫に似ているのでこの車のことを Käfer[ケーファー] m とも呼びます。

大晦日の会話を扱ったところで，クリスマス，新年のお祝いの言葉をいくつか挙げてみます。

Frohe Weihnachten！
ヴァイナハテン
クリスマスおめでとう！

Ein fröhliches　Weihnachten！
　　　フレーリッヒェス
クリスマスおめでとう！

Prosit　　Neujahr！
プローズィット　ノイヤール
新年おめでとう！

Trinken Sie nicht so viel！
お酒をあまり飲まないようにね！

ドイツ語の数字

「1」は **eins**：［アインス］と発音します。ei はアイと発音することはもうすでにしっかり頭に入っていますか。不定冠詞と同じ綴りですが，-s のあることに注意してください。ただし，eines ではなく，eins です。またくれぐれも，［エインス］と読まないでください。

「2」は **zwei**：z は［ツ］，w は［ヴ］ですから，［ツヴァイ］と発音します。

「3」は **drei**：［ドライ］と発音されます。

「4」は **vier**：v は［フ］，ie は［イー］と発音されるのでしたね。また，語尾の -r は母音化しますから，［フィーア］と発音されます。

「5」は **fünf**：口を十分に突き出し，［フュンフ］と発音してください。

「6」は **sechs**：母音の前の s は，有声音ですね。chs は［クス］と発音しますから，全体で［ゼックス］。［セックス］にならないように注意。

「7」は **sieben**：［ズィーベン］と発音します。

「8」は **acht**：a, o, u, au の後の ch は［ハ］と発音するのでしたね。ですから［アハト］と発音されます。くれぐれも［アチト］とか［アヒト］とかならないでください。

「9」は **neun**：eu は［オイ］。［ノイン］と発音されます。

「10」は **zehn**：（母音の後に置かれる）h はその前の母音を長く発音させるための記号でしたね。［ツェーン］と発音されます。

ここで「1」から「10」までの綴りと発音とをまとめてみましょう。

1	eins	2	zwei	3	drei	4	vier	5	fünf
	アインス		ツヴァイ		ドライ		フィーア		フュンフ
6	sechs	7	sieben	8	acht	9	neun	10	zehn
	ゼックス		ズィーベン		アハト		ノイン		ツェーン

次に「11」から「20」までです。

「**11**」は **elf**：[エルフ] と発音します。

「**12**」は **zwölf**：[ツヴェルフ] と発音します。zwei の zw [ツヴ] を思い出してください。

「**13**」以下はすこしずれがありますが，原則として1桁の数字に -zehn を添えてゆけばよいのです。「13」は **dreizehn**：[ドライツェーン] と発音します。ただし次のような組み合わせになっていることに注意してください。

13	=	3	+	10
dreizehn		drei-		zehn

「**14**」は **vierzehn**：ただし vier- が短く [フィル] となり，[フィルツェーン] と発音します。

「**15**」は **fünfzehn**：すなおに [フュンフツェーン] と発音します。

「**16**」は **sechzehn**：「6」は sechs ですが，-s がとれるのです。そして [ゼヒツェーン] と発音します。[ヒ] に注意してください。

「**17**」は **siebzehn**：「7」は sieben ですが，それから語尾の -en をとり，sieb- と zehn を結びつけます。発音も [ズィープ] と [プ] の音になり，[ズィープツェーン] と発音します。

「**18**」は **achtzehn**：ただし発音は [アハトツェーン] ではなく，-t- と -z- をくっつけて [ツ] と読み，[アハツェーン] と発音します。

「**19**」は **neunzehn**：発音も [ノインツェーン] と原則のとおりです。

「**20**」は -zehn ではなく，-zig [ツィヒ] を付けます。ただ zweizig ではなく，**zwanzig** と綴ります。発音は [ツヴァンツィヒ] となります。

11 elf	12 zwölf	13 dreizehn	14 vierzehn	15 fünfzehn
エルフ	ツヴェルフ	ドライツェーン	フィルツェーン	フュンフツェーン

16 sechzehn	17 siebzehn	18 achtzehn	19 neunzehn	20 zwanzig
ゼヒツェーン	ズィープツェーン	アハツェーン	ノインツェーン	ツヴァンツィヒ

次に21以上の数です。まず，10の位の数ですが，これは原則的に基数に -zig を付けて作ります。ただし，30 だけが -ig を付けます。

また 40, 80 では発音，60, 70 ではつづりと発音に注意してください。（20 も念のため挙げておきます。）

20	zwanzig	［ツヴァンツィヒ］	30	dreißig	［ドライスィヒ］
40	vierzig	［フィルツィヒ］	50	fünfzig	［フュンフツィヒ］
60	sechzig	［ゼヒツィヒ］	70	siebzig	［ズィープツィヒ］
80	achtzig	［アハツィヒ］	90	neunzig	［ノインツィヒ］

次にそれぞれの間の数をみてみましょう。原則は1の位の数を先に言い，次に und を入れ，それから 10 の位の数を言うのです。すなわち『1 位の数 und 10 位の数』になるのです。ただし 1 が eins でなく，ein になることに注意してください。具体的には次のようになります。

21 einundzwanzig
   アイン・ウント・ツヴァンツィヒ
22 zweiundzwanzig
   ツヴァイ・ウント・ツヴァンツィヒ
33 dreiunddreißig
   ドライ・ウント・ドライスィヒ
34 vierunddreißig
   フィーア・ウント・ドライスィヒ
44 vierundvierzig
   フィーア・ウント・フィルツィヒ
45 fünfundvierzig
   フュンフ・ウント・フィルツィヒ

55 fünfundfünfzig
   フュンフ・ウント・フュンフツィヒ
56 sechsundfünfzig
   ゼックス・ウント・フュンフツィヒ
67 siebenundsechzig
   ズィーベン・ウント・ゼヒツィヒ
78 achtundsiebzig
   アハト・ウント・ズィープツィヒ
89 neunundachtzig
   ノイン・ウント・アハツィヒ
91 einundneunzig
   アイン・ウント・ノインツィヒ

100 以上の数は次のようになります。

100	[ein] hundert	［アイン・フンダート］
201	zweihunderteins	［ツヴァイ・フンダート・アインス］
964	neunhundertvierundsechzig	［ノイン・フンダート・フィーア・ウント・ゼヒツィヒ］
1 000	[ein] tausend	［アイン・タオゼント］
10 000	zehntausend	［ツェーン・タオゼント］
100 000	hunderttausend	［フンダート・タオゼント］
1 000 000	eine Million	［アイネ・ミリオーン］

練習問題　　　　　　　　　　　　　　　　　　　　　　　　　**解 答 編**

練習問題 1

I. 不定形　gehen　　　　kommen　　　　weinen
　　ich　　gehe　　　　 komme　　　　 weine
　　du　　 gehst　　　　kommst　　　　weinst
　　er　　 geht　　　　 kommt　　　　 weint
　　wir　　gehen　　　　kommen　　　　weinen
　　ihr　　geht　　　　 kommt　　　　 weint
　　sie　　gehen　　　　kommen　　　　weinen

II. 1. wohne　　：私はドイツに住んでいる。
　　2. lachen　　：私達は大声で笑う。
　　3. lügst　　 ：君はいつもうそをつく。
　　4. singt　　 ：君達は美しく歌う。
　　5. lügen　　 ：あなたはいつもうそをつく。
　　6. kocht　　 ：彼は料理が好きだ。
　　7. trinken　 ：彼[女]らはたくさん飲む。
　　8. schwimmt　：彼女は泳ぐのが上手だ。

練習問題 2

I.　　　　der　　Freund　　　　das　　Buch　　　　die　　Rose
　2格　　des　　Freund[e]s　　des　　Buch[e]s　　der　　Rose
　3格　　dem　　Freund　　　　dem　　Buch　　　　der　　Rose
　4格　　den　　Freund　　　　das　　Buch　　　　die　　Rose
　　　　 ein　　Freund　　　　ein　　Buch　　　　eine　 Rose
　2格　　eines　Freund[e]s　　eines　Buch[e]s　　einer　Rose
　3格　　einem　Freund　　　　einem　Buch　　　　einer　Rose
　4格　　einen　Freund　　　　ein　　Buch　　　　eine　 Rose

II. 1. Der　 ：鳥は速く飛ぶ。
　　2. Die　 ：お母さんが大声で叫ぶ。
　　3. eine　：私はメガネを探している。
　　4. ein　 ：彼は本を一冊買う。

5. einen___　　　　　　：私達はリンゴを一つ食べる。
6. dem___, eine___　　：彼は少女にバラを一輪贈る。

練習問題 3

Ⅰ. 1. einem___　　　　：彼は少女と踊る。
2. dem___, dem___　：食事の後に彼は家を出る。
3. dem___　　　　　：教会は公園の向かい側にある。
4. der___　　　　　　：彼は町のはずれに家を買う。
5. einen___　　　　　：私達はテーブルを囲んで座っている。

Ⅱ. 1. der___　　　　　　：彼は教会の前に立っている。
2. den___　　　　　　：私は木の後ろに行く。
3. einen___　　　　　：彼はその本をテーブルの上に置く。
4. dem___　　　　　　：私達は先生の隣に座っている。
5. einem___　　　　　：彼女は窓辺に立っている。

練習問題 4

Ⅰ. 複数 1格 die Freunde　　　　die Uhren
　　　2格 der Freunde　　　　der Uhren
　　　3格 den Freunden　　　 den Uhren
　　　4格 die Freunde　　　　die Uhren

　　複数 1格 die Häuser　　　　　die Gärten
　　　2格 der Häuser　　　　　der Gärten
　　　3格 den Häusern　　　　den Gärten
　　　4格 die Häuser　　　　　die Gärten

Ⅱ. 1. die Kinder　　：その父親は子供達を愛している。
2. den Schülern　：私は生徒達にリンゴを与える。
3. Die Vögel　　：鳥達は森の中でさえずる。
4. der Kinder　　：その子供達の父親は金持だ。

練習問題 5

単数 1格 dieser　Hund　　　　　seine　Katze
　　 2格 dieses　Hund[e]s　　　 seiner　Katze
　　 3格 diesem　Hund　　　　 seiner　Katze
　　 4格 diesen　Hund　　　　　seine　Katze

複数	1格	diese	Hunde		seine	Katzen
	2格	dieser	Hunde		seiner	Katzen
	3格	diesen	Hunden		seinen	Katzen
	4格	diese	Hunde		seine	Katzen
単数	1格	unser	Haus		welches	Buch
	2格	unseres	Hauses		welches	Buch[e]s
	3格	unserem	Haus		welchem	Buch
	4格	unser	Haus		welches	Buch
複数	1格	unsere	Häuser		welche	Bücher
	2格	unserer	Häuser		welcher	Bücher
	3格	unseren	Häusern		welchen	Büchern
	4格	unsere	Häuser		welche	Bücher

練習問題 6

単数	1格	der	reiche	Mann	die	neue	Bluse
	2格	des	reichen	Mann[e]s	der	neuen	Bluse
	3格	dem	reichen	Mann	der	neuen	Bluse
	4格	den	reichen	Mann	die	neue	Bluse
複数	1格	die	reichen	Männer	die	neuen	Blusen
	2格	der	reichen	Männer	der	neuen	Blusen
	3格	den	reichen	Männern	den	neuen	Blusen
	4格	die	reichen	Männer	die	neuen	Blusen
単数	1格	ihr	großes	Haus			
	2格	ihres	großen	Hauses			
	3格	ihrem	großen	Haus			
	4格	ihr	großes	Haus			
複数	1格	ihre	großen	Häuser			
	2格	ihrer	großen	Häuser			
	3格	ihren	großen	Häusern			
	4格	ihre	großen	Häuser			

練習問題 7

Ⅰ. Ich　gehe　mit　einem　Freund　aus.
　　Du　gehst　mit　einem　Freund　aus.
　　Er　geht　mit　einem　Freund　aus.
　　Wir　gehen　mit　einem　Freund　aus.
　　Ihr　geht　mit　einem　Freund　aus.
　　Sie　gehen　mit　einem　Freund　aus.

Ⅱ. 1. Wir kommen auch mit.
　　　　私達も一緒に行きます。
　　2. Er lädt seine Freunde zum Essen ein.
　　　　彼は友人達を食事に招待する。
　　3. Ich stehe gewöhnlich um 6 Uhr auf.
　　　　私はふつう6時に起きる。
　　4. Die Sonne geht im Sommer früh auf.
　　　　太陽は夏は早く昇る。
　　5. Er lehnt unsere Einladung ab.
　　　　彼は私達の招待を断わる。

練習問題 8

1. Wir wollen nach Deutschland fliegen.
　　私達はドイツに行くつもりだ。
2. Er kann fließend Deutsch sprechen.
　　彼は流暢にドイツ語を話すことができる。
3. Ich muss morgen um 6 Uhr aufstehen.
　　私は明日6時に起きねばならない。
4. Du sollst sofort nach Hause kommen.
　　君はすぐ帰宅すべきだ。
5. Der Kranke darf schon aufstehen.
　　病人はすでに起き上がることが許可されている。
6. Ich möchte Kaffee trinken.
　　私はコーヒーが飲みたい。
7. Darf ich heute nach Bonn fahren?
　　今日ボンに行ってもよろしいですか？

練習問題 9

Ⅰ. Ich rasiere　mich　.　　　Wir rasieren　uns　.
　　Du rasierst　dich　.　　　Ihr rasiert　euch　.
　　Er rasiert　sich　.　　　Sie rasieren　sich　.

Ⅱ. 1. mich　：私は彼のことで腹を立てる。
　　2. uns　：私達はいすの上に座る。
　　3. sich　：砂糖は水に溶ける。
　　4. sich　：彼は髪をとかす。
　　5. euch　：君達はいつも自分のことを考えている。

練習問題 10

Ⅰ. kochte／lachte

Ⅱ. ich　trank　　　　wir　tranken
　　du　trankst　　　ihr　trankt
　　er　trank　　　　sie　tranken
　　ich　aß　　　　　wir　aßen
　　du　aßest　　　　ihr　aßt　　　←口調上のeが入る
　　er　aß　　　　　sie　aßen
　　ich　wartete　　 wir　warteten
　　du　wartetest　　ihr　wartetet
　　er　wartete　　　sie　warteten

Ⅲ. 1. tanzt→tanzte
　　　　彼は少女と踊った。
　　2. steht→stand
　　　　彼は6時に起きた。
　　3. spielen→spielten
　　　　彼の両親はテニスをした。

練習問題 11

Ⅰ. arbeiten　　arbeitete　　　gearbeitet
　　lachen　　　lachte　　　　gelacht
　　sagen　　　 sagte　　　　 gesagt

	tanzen	tanzte	getanzt
	weinen	weinte	geweint
II	gehen	ging	gegangen
	kommen	kam	gekommen
	fahren	fuhr	gefahren
	essen	aß	gegessen
	trinken	trank	getrunken
	lesen	las	gelesen
	sehen	sah	gesehen
	sprechen	sprach	gesprochen

練習問題 12

1. Er hat gestern mit ihr Tennis gespielt.
2. Die Mutter hat das Kind auf den Stuhl gesetzt.
3. Ich habe dich gestern zweimal angerufen.
4. Er hat seine Reise in Bonn unterbrochen.
5. Sie hat sich aus dem Fenster gestürzt.
6. Mein Zug ist pünktlich abgefahren.

練習問題 13

Ⅰ.
- bauen : gebaut werden
- öffnen : geöffnet werden
- untersuchen : untersucht werden
- verhaften : verhaftet werden

Ⅱ.
1. Hier wird ein neues Warenhaus gebaut.
2. Der Briefträger wird von einem Hund gebissen.
3. Die Ursachen des Unfalls werden von der Polizei untersucht.
4. Der Verbrecher wurde gestern im Park verhaftet.
5. Die Tür ist von draußen geöffnet worden.

練習問題 14

1. 建築現場で遊ぶことは禁じられている。
2. この小説は読む価値がある。
3. 彼女は私に彼女の手紙を開封することを許可する。
4. 彼は私に助けを頼む。
5. 私は映画を見に行く気がない。
6. 彼は歌い始める。
7. 彼は尋ねることなく金を手にとる。
8. 彼は本を買いに町へ行く。

練習問題 15

Ⅰ.
1. 安い　　billiger　　billigst
2. 明るい　heller　　　hellst
3. 高い　　höher　　　höchst
4. かわいい　hübscher　hübschest
5. 短い　　kürzer　　　kürzest
6. 長い　　länger　　　längst

Ⅱ.
1. besser　　　あなたは前より元気そうに見えます。
2. teurer ← ガソリンがまた値上がりする。
3. am liebsten　赤ちゃんはうつぶせになるのが一番好きだ。
4. jüngere　　彼の下の娘は技師と結婚している。

　　　　　　語幹の -e- を省いて -er を付ける

練習問題 16

Ⅰ.
1. der：
それは私を助けてくれた医者だ。
2. den：
私には探している友人が見つからない。
3. der：
彼女は角に立っている男に合図した。
4. die：
彼は道端にあるベンチに座った。
5. das：
彼は借りていた本を私に返した。

6. die：
   そこで私達の先生と踊っている女の人は誰ですか？
7. dessen：
   両親が京都に住んでいる私の友人は私を招待してくれた。
8. dem：
   脳は我々がものを考えるということを考える器官である。

練習問題 17

Ⅰ．1. habe：彼は頭が痛いと言った。
　　2. dürfe：その子供は母親に，映画を見に行ってもよいか尋ねる。
Ⅱ．1. müsse：彼女は家に帰らねばならないと言った。
　　2. gewesen sei：彼は家にいなかったと言った。
Ⅲ．1. ... hättest, könnten ...：
   君に時間があるなら，私達は映画を見に行けるのに。
　　2. ... wäre, würde ...：
   風邪をひいていないなら，遠足に参加するんだけど。
　　3. ... wäre, hätten ...：
   バスが時間通りに来ていたら，私達は汽車に乗り遅れなかっただろう。

不規則動詞変化一覧表

不定形	直説法 現在	直説法 過去	接続法 第2式	過去分詞
beginnen はじめる		**begann**		**begonnen**
beißen かむ	beiß[es]t beißt	**biss**	bisse	**gebissen**
bieten 提供する		**bot**	böte	**geboten**
bitten たのむ		**bat**	bäte	**gebeten**
bleiben とどまる		**blieb**	bliebe	**geblieben**
brechen やぶる	brichst bricht	**brach**	bräche	**gebrochen**
brennen 燃える		**brannte**		**gebrannt**
bringen 運ぶ		**brachte**	brächte	**gebracht**
denken 考える		**dachte**	dächte	**gedacht**
entscheiden 決定する		**entschied**	entschiede	**entschieden**
essen たべる	isst 〈issest〉 isst	**aß**	äße	**gegessen**
fahren 乗り物で行く	fährst fährt	**fuhr**	führe	**gefahren**
fallen 落ちる	fällst fällt	**fiel**	fiele	**gefallen**
fangen 捕える	fängst fängt	**fing**	finge	**gefangen**
finden 見つける		**fand**	fände	**gefunden**

(注記: 3か所を口調で覚えよう／ich breche が載っている教科書, 辞書もある／du, er)

不定形	直説法		接続法	過去分詞
	現在	過去	第2式	
fliegen 飛ぶ		**flog**	flöge	**geflogen**
fressen 食う	frisst frisst	**fraß**	fräße	**gefressen**
geben 与える	gibst gibt	**gab**	gäbe	**gegeben**
gehen 行く		**ging**	ginge	**gegangen**
haben もっている	hast hat	**hatte**	hätte	**gehabt**
halten つかんでいる	hältst hält	**hielt**	hielte	**gehalten**
hängen 掛かっている		**hing**	hinge	**gehangen**
heben 持ち上げる		**hob**		**gehoben**
helfen 助ける	hilfst hilft	**half**	hülfe	**geholfen**
kennen 知る		**kannte**		**gekannt**
kommen 来る		**kam**	käme	**gekommen**
laden 積む	lädst lädt	**lud**		**geladen**
lassen させる	lässt lässt	**ließ**	ließe	**gelassen**
lesen 読む	lies[es]t liest	**las**	läse	**gelesen**
liegen 横たわっている		**lag**	läge	**gelegen**
lügen うそをつく		**log**		**gelogen**

不定形	直説法 現在	過去	接続法 第2式	過去分詞
nehmen 取る	nimmst nimmt	**nahm**	nähme	**genommen**
raten 助言する	rätst rät	**riet**	riete	**geraten**
rufen 呼ぶ		**rief**	riefe	**gerufen**
schlafen 眠る	schläfst schläft	**schlief**	schliefe	**geschlafen**
schlagen 打つ	schlägst schlägt	**schlug**	schlüge	**geschlagen**
schließen 閉じる	schließt schließt	**schloss**	schlösse	**geschlossen**
schreiben 書く		**schrieb**	schriebe	**geschrieben**
schreien 叫ぶ		**schrie**		**geschrien**
schwimmen 泳ぐ		**schwamm**		**geschwommen**
sehen 見る	siehst sieht	**sah**	sähe	**gesehen**
sein ある	bin bist ist	**war**	wäre	**gewesen**
singen 歌う		**sang**		**gesungen**
sitzen すわっている	sitzt sitzt	**saß**	säße	**gesessen**
sprechen 話す	sprichst spricht	**sprach**	spräche	**gesprochen**
springen 跳ぶ		**sprang**		**gesprungen**

不定形	直説法 現在	直説法 過去	接続法 第2式	過去分詞
stehen 立っている		**stand**	stünde	**gestanden**
steigen のぼる		**stieg**	stiege	**gestiegen**
stoßen 突く	stöß[es]t stößt	**stieß**	stieße	**gestoßen**
tragen 運ぶ	trägst trägt	**trug**	trüge	**getragen**
treffen 会う	triffst trifft	**traf**	träfe	**getroffen**
treten 踏む	trittst tritt	**trat**	träte	**getreten**
trinken 飲む		**trank**	tränke	**getrunken**
tun する	wir tun	**tat**	täte	**getan**
vergessen 忘れる	vergisst vergisst	**vergaß**	vergäße	**vergessen**
waschen 洗う	wäschst wäscht	**wusch**		**gewaschen**
werden なる	wirst wird	**wurde**	würde	**geworden** worden ―
werfen 投げる	wirfst wirft	**warf**	würfe	**geworfen**
wissen 知っている	weiß weißt weiß	**wusste**	wüsste	**gewusst**
ziehen 引く		**zog**	zöge	**gezogen**

（受動の助動詞のとき）

167

最先端の独和 & 和独！

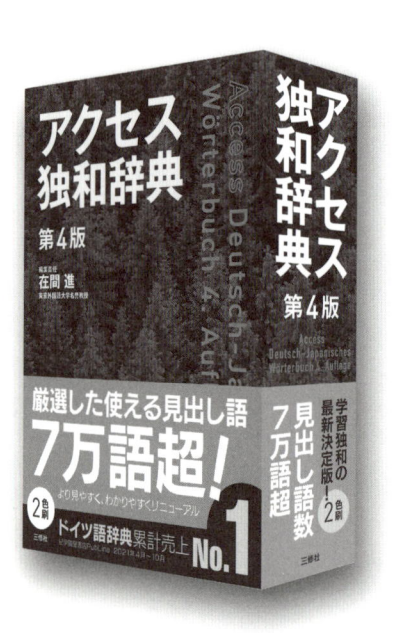

見やすさと使いやすさを追求した、進化する学習独和

- 初級者には使いやすく、中上級者の期待にも応える本格派学習独和辞典
- クラス最大の見出し語数7万語強
- 初修者が引きやすい・理解しやすい最重要語の記述
- 読者の発信力を手助けする和独9,200語
- 音声サイトで、耳からもアクセス！（「発信型ドイツ語会話」「発音とつづり」「数詞」の音声を聞くことができます）

アクセス独和辞典 第4版

編集責任 在間進（東京外国語大学名誉教授）
定価 4,620円（本体価格 4,200円＋税）
B6変型判上製函入 2176ページ　2色刷
ISBN978-4-384-06000-3 C0584

ドイツ語を書こう・話そうとする日本人のための和独辞典

- 最新語彙を多数収録
- 現代日本からドイツ語圏まで幅広くカバーする見出し語数約5万6000語
- 発信に役立つ用例8万7000語

アクセス和独辞典

編集責任 在間進（東京外国語大学名誉教授）
定価 5,940円（本体価格 5,400円＋税）
B6変型判上製函入 2072ページ
ISBN978-4-384-04321-1 C0584

三修社　〒150-0001 東京都渋谷区神宮前2-2-22　TEL. 03-3405-4511　FAX. 03-3405-4522
https://www.sanshusha.co.jp